[英国] 柯南·道尔 著
喵博士 改编



# 大侦探福尔摩斯
SHERLOCK HOLMES

## 巴斯克维尔的猎犬

译林出版社

# 人物档案

## 华生

华生——医生，伦敦大学医学博士，福尔摩斯的最佳拍档。他用心记录下福尔摩斯精彩的破案过程，并公之于世。

## 福尔摩斯

福尔摩斯——闻名世界的大侦探，居住在英国伦敦的贝克街221B。他善于通过观察和推理来寻找事件的真相，破案时有如神助，总是能洞察一切。

## 亨利 巴里莫尔

亨利(左) ——巴斯克维尔庄园的继承人。他性格勇敢坚毅，在伯父死后赶回英国继承遗产，却陷入了一连串危险的旋涡。

巴里莫尔(右) ——巴斯克维尔庄园的管家。他身材高大，仪表堂堂，家族世代都是庄园的仆人。

## 杰克 贝丽尔

杰克(左)——住在巴斯克维尔庄园附近的生物学家。他身材矮小，样貌端正，喜欢观察和研究昆虫。

贝丽尔(右)——杰克的妹妹，一位年轻美丽的小姐，心里似乎藏着什么秘密。

# 导言

古老的巴斯克维尔庄园，一直流传着一个有关幽灵猎犬的传说。不久前，庄园主人意外身亡，尸体旁有一个巨大的猎犬脚印。继承人亨利刚回到英国，就陷入了和猎犬有关的重重危险之中。

亨利能否逃脱这个古老的诅咒？猎犬传说的重重疑云背后，原来藏着一个又一个惊人的秘密……

# 目录


遗落的手杖 1
一份旧手稿 5
古老的传说 8
猎犬的脚印 12
神游庄园 16
离奇的信件 20
庄园新主人的选择 24
追踪神秘人 27
电报试探 32
扑朔迷离的线索 36
棋逢对手 40
回归故乡 44
管家撒谎 49
危险的泥潭 53
杰克的故事 57
管家的怪异行为 60


SHERLOCK HOLMES

尴尬的求婚 64
烛光信号 68
惊天大秘密 72
夜色中的神秘身影 75
寻找 L.L. 女士 79
劳拉的秘密 83
神秘人的同伴 87
不期而遇 91
锁定目标 96
新的危险降临 99
狡猾的敌人 103
画像里的秘密 106
布网抓鱼 110
怪物现身 114
恶魔的下场 118
真相大白 122

SHERLOCK HOLMES

## 遗落的手杖

这天清晨，福尔摩斯坐在餐桌旁吃早餐，他的好朋友华生站在他身后，专心·致志地摆弄着**一根旧手杖**。福尔摩斯慢悠悠地开口问道：“华生，你研究这根手杖好一会儿了，看出什么线索没有？”

华生手一抖，满脸惊讶地问：“福尔摩斯，你怎么知道我在干什么？难道你后脑勺上也长眼睛了吗？”

福尔摩斯指了指餐桌上的咖啡壶，说："是它告诉我的。"原来呀，那把咖啡壶的表面被擦得闪闪发亮，就像一面镜子，把华生的一举一动都照得清清楚楚。

福尔摩斯饶有兴味地说："这手杖是昨晚那客人落下的吧？可惜呀，他没等到我们回来就走了，也不知道是个什么样的人。华生，你能不能让这根手杖开口，说说它**主人的身份**？"

一听这话，华生就来了劲头。他试着推理道："我来试试！依我看……这根手杖的主人应该是一位年纪不小的乡村医生，名叫莫蒂默，平时呢，喜欢拄着手杖走路去病人家看诊。他功成名就，在当地很有声望。"福尔摩斯笑着点了点头，说："分析得不错嘛。说说看，你是怎么看出来的？"

华生俨然一副大侦探的模样，两眼发光地说："手杖上刻着名字呢：送给莫蒂默医生。能收到这么精美的手杖礼物，说明他很受人尊敬，所以我猜他是个功成名就的中年医生。"

"还有呢？"

"哦，这根手杖很旧了，说明手杖的主人经常拄着它走路，所以我猜他出诊时喜欢走着去。用得这么旧了还舍不得换，很像是乡村医生的做派！"

福尔摩斯接过手杖，眯着眼睛看了一会儿，接着又拿起**放大镜**走到窗边仔细观察。华生紧张地问：“怎么？我说错了吗？还是漏掉了什么？”

福尔摩斯缓缓地说：“你说他是乡村医生，这点应该没错。不过嘛，你漏掉的东西可真不少啊！看，这儿有落款：C.C.H.。这可以说明很多问题！伦敦的**查令十字医院**缩写恰好就是 C.C.H.。我想，他曾经在伦敦的查令十字医院当医生，后来去乡村开了诊所。这根手杖是他离别时，原来的同事们送给他的礼物。不过，他当时可不是什么功成名就的中年医生，因为这样的医生根本不会到乡村去开诊所。那时他也许还不到三十岁，是个不追求功名利禄的毛头小伙子。”

华生眼里的光芒先是暗淡下去，但很快又重新闪亮起来，说道：“有道理！你看到的确实比我多！”

福尔摩斯接着说：“这位莫蒂默医生是个马虎的人，因为

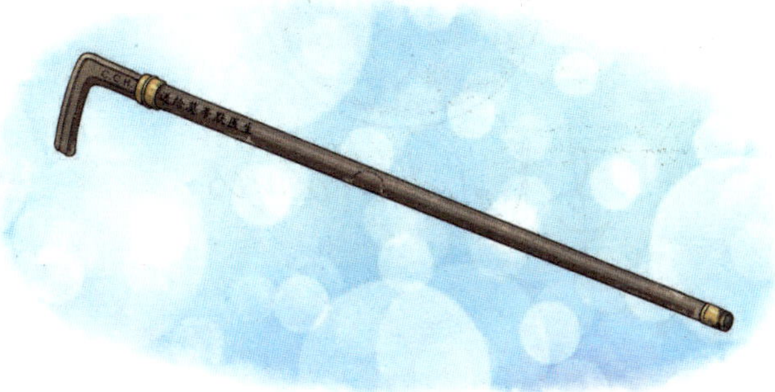

他昨晚来我们这里一趟，就把手杖给弄丢了。对了，他有一条心爱的小狗，因为手杖中间有非常明显的**狗牙印**，显然，有条狗经常跟在他身后，帮他叼着手杖……”

华生听得直愣神。福尔摩斯靠在窗边继续**滔滔不绝**地说下去：“从牙印的大小来看，这条狗的嘴巴比普通狗要大，但又比藏獒小，很可能是……”

华生呆呆地问：“很可能是什么？”

福尔摩斯的脸上突然露出了神秘的笑容：“很可能是一条卷毛长耳朵的猎犬。”

“这这这……这不合理！福尔摩斯，你只是会推理，又不是神，怎么可能连他的狗是卷毛猎犬都知道？”

## 一份旧手稿

福尔摩斯带着他那神秘的笑容走过来，拍了拍华生的肩膀，说：“哈哈哈，这当然是因为，我在窗前已经看到了我们这位莫蒂默医生，他正带着一条猎犬，站在咱们大门口的台阶上呢。”

华生这才恍然大悟。他连忙下楼，把莫蒂默医生迎了上来。很显然，福尔摩斯对他年龄的推断是正确的。莫蒂默医生现在看起来也就只有三十多岁，长得又高又瘦，长长的

鹰钩鼻，戴着一副金边眼镜，两只眼睛炯炯有神，但是衣服穿得很是邋遢。

他一进门，就欢呼一声，猛地朝福尔摩斯扑了过去。“天哪，我的手杖果然是落在这里了！能找回它我真是太高兴了！我宁愿失去整个世界，也不愿丢失这根珍贵的手杖！”

福尔摩斯用锐利的眼光观察着莫蒂默医生，问道：“我想，这是一份礼物吧？”

莫蒂默医生把失而复得的手杖紧紧抱在怀里，高兴地回答道：“对对对！是我结婚的时候，查令十字医院的两个朋友送给我的！”

“哎呀！”福尔摩斯遗憾地喊了一声，“原来是结婚礼物呀，我还以为是您离开城市到乡下去开诊所时收到的礼物呢。不过，我总还有一点说对了，那就是您在查令十字医院当过医生。”

莫蒂默医生用力地点了点头，说：“没错，您的推理能力果然名不虚传！不愧是大名鼎鼎的福尔摩斯！说实话，我早就想和您见上一面了！”不等福尔摩斯说话，莫蒂默医生突然两眼发光，痴迷地盯着面前这位大侦探的脑袋，说：“哎呀，原来福尔摩斯的脑袋长这样呀，我能摸摸您的脑袋吗？

如果按照您的头骨做个模型，绝对是一件出色的标本！在这以前，我还从没见过这样美丽的头骨……”

福尔摩斯咳嗽了两声，打断了他的话：“咳咳，莫蒂默医生，请坐。您专程来贝克街见我，恐怕不是为了研究我的脑袋吧？有什么重要的事情吗？”

“哦，对！”莫蒂默医生的表情变得严肃起来。他摸了摸自己的口袋，说：“福尔摩斯先生，我先给您看一样东西吧。”

福尔摩斯盯着他的口袋，说：“是**一份旧手稿**吧？它从您的口袋里露出来了。不瞒您说，我已经推理出来了，这份手稿的写作年代是在 18 世纪初期。”

莫蒂默医生听得**目瞪口呆**：“您……您也太厉害了吧！居然连手稿的年代都能看出来。”他连忙掏出手稿，此时的表情显得有些紧张，又有些悲伤。“这份手稿是我的一个朋友——查尔兹爵士交给我的，上面写着**一个可怕的故事**。”

福尔摩斯扬了扬眉毛，问道：“您大老远跑来，恐怕不只是为了让我听故事吧？难道这位查尔兹爵士……出事了？”

莫蒂默医生深吸了一口气，回答道：“您的嗅觉真灵敏。事实上，三个月前，查尔兹在他庄园附近神秘地去世了。他的死正好和这个故事有关。”

## 古老的传说

福尔摩斯双手交互握着，支在下巴上，不动声色地听莫蒂默医生讲起了手稿里的传奇故事。

查尔兹爵士是**巴斯克维尔家族**的人。他们家族是当地的一个名门望族，既富有又大方，在当地很受人尊敬。但是这个家族，在很多很多年以前，也出过一个残忍狠毒的人，名叫修果。他生性残暴，做尽了坏事，简直是人见人怕。有段时间，他看上了附近一位美丽的女子。女子当然不愿意嫁给他，见了他就躲。修果一不做，二不休，带着几个狐朋狗友闯进她家，把她掳走了，关在自己家的阁楼上。晚上，他们这群人在楼下喝酒狂欢，**鬼哭狼嚎**地乱吼乱叫。可怜的女子害怕极了，缩在角落里瑟瑟发抖。突然，她发现阁楼的窗户没有关好，便大着胆子从窗户钻出去，抓着屋檐下的藤蔓爬了下来。她穿过一大片黑漆漆的沼泽，拼命往家的方向逃去。

很快，修果发现自己的笼中鸟逃跑了。他非常生气，像着了魔似的把餐厅的酒杯、饭盆踢得满天飞，接着又冲出门去，把院子里养的猎犬呼啦啦地全放了出来。那群**凶神恶煞**般的猎犬嚎叫着朝女孩回家的方向狂奔。修果自己也骑上马儿紧紧跟着猎犬。

修果的朋友们觉得不对劲，十几个人纷纷骑上马儿也追了出去。他们来到女孩回家必经的那片**沼泽**，突然听到了马儿奔跑的声音。等靠近了一看，是修果的马儿！只见它正口吐白沫在空地上来回跑，而马背上空无一人，缰绳无力地拖在地上。

女孩和修果都倒在附近的空地上。一条巨大的黑色猎犬趴在修果身上，两只眼睛闪闪发亮，好像两团燃烧的**火焰**。

谁也没见过这么大的猎犬，所有人都尖叫着疯狂逃命。据说，有一个人当晚就被吓死了。从此之后，**猎犬传说**就成了诅咒，一直在巴斯克维尔家族流传着。

听了这个故事，福尔摩斯用睿智的双眼冷静地盯着莫蒂默医生问：“可是，这和查尔兹爵士的死有什么关系呢？”

莫蒂默医生推了推眼镜，紧张而又神秘地说：“他的死，也许跟这个古老的猎犬传说有关。”

福尔摩斯一下子来了兴趣，身子前倾，双眼发光地盯着莫蒂默医生说：“快跟我说说查尔兹爵士去世的详细情况，越详细越好！”

莫蒂默医生从口袋里掏出一张报纸，说：“您看，报纸上记载了案子的一些情况。查尔兹爵士没有妻儿，由庄园里的一对管家夫妻照顾他的生活。爵士每晚睡觉前，习惯到庄园外面的一条小路上去散步。路的两侧种着水松，所以叫**水松夹道**。5 月 4 日晚上，天气又冷又湿，查尔兹爵士对管家说：‘我明天要去伦敦，你帮我准备一下行李吧。’然后，他像往常一样，叼着雪茄，到水松夹道散步。可是，直到午夜，他都没有回来。管家打着灯笼出去找他，却在路的尽头发现他倒在那里。根据调查，那晚似乎发生过**奇怪的事情**。小路中间有一扇通往沼泽的栅栏门。从查尔兹爵士的脚印来看，他似乎在栅栏门前停留过，然后不知道为什么，突然踮起脚，用脚尖走到小路尽头，最后倒在了那里。”

福尔摩斯皱着眉头问道：“他究竟是怎么死的？”

莫蒂默医生长长地叹了一口气，说：“唉——他身上没有任何伤口，从脸上的表情来看，很可能是被吓死的。”

## 猎犬的脚印

福尔摩斯问："医生，您能肯定吗？"

莫蒂默医生把脸凑了过去，压低声音说："可能性很大。有件事情我谁都没告诉过，是怕吓到庄园附近的人们。其实，几个月前，爵士就因为**传说中的猎犬**而害怕得要命。他总是一遍又一遍地问我，有没有看到过什么奇怪的东西，有没有听见一条猎犬在嚎叫。"

"那您有没有发现什么呢？"

莫蒂默医生的声音压得更低了："有一次我去查尔兹爵士家拜访。一进门，我就发现他正惊恐地盯着我背后的方向。我回头一看，一个模糊的黑影飞快地闪了过去，看上去足有**小牛犊**那么大。"

华生瞪大眼睛问："那……那后来呢？"

"后来怎么也找不着那个东西了。查尔兹爵士吓得够呛，拿出一份旧手稿给我看。对，就是刚才您看到的，古老的猎犬传说。作为医生，我知道他的心脏再也受不了任何刺激，就建议他到伦敦住一段时间，换个环境，放松放松。没想到，就在他出发的前一晚……唉，真是命运弄人哪！”

福尔摩斯继续问：“您说，查尔兹爵士倒在通往**沼泽**的小路上，那么，路上还发现了其他什么痕迹吗？”

莫蒂默医生咽了咽口水，说：“脚印！除了爵士的，还有其他脚印！”

福尔摩斯坐直了身体问：“哦？男人的，还是女人的？”

莫蒂默医生眼里闪过一丝害怕的神色，声音变得沙哑起来：“不！是**猎犬的爪印**！真的有猎犬！而且，大得难以想象！”

福尔摩斯的眼里射出一道灼灼的光。“您亲眼看到了吗？”他问。

“千真万确！就像我现在亲眼看到您一样清楚。”

福尔摩斯双手交叉，两眼死死地盯着莫蒂默医生问道：“还有其他人看到了吗？”

莫蒂默医生回答道：“好像没有其他人注意到。那个脚印距离爵士倒下的地方约有二十米，隐藏在路边的草丛里。我要不是听说过那个猎犬传说，恐怕也不会注意到。”

福尔摩斯点了点头，又问："对了，您说，爵士在小路上的栅栏门前停留过。那么，在栅栏门上有留下什么痕迹吗？"

莫蒂默医生想了好一会儿，摇了摇头，说："我没注意到有什么特殊的痕迹。不过，我判断，爵士在那里停留了五到十分钟，这从地上雪茄的**烟灰**可以看出来。"

福尔摩斯赞许地说："莫蒂默医生，您做得很好！"

这时，莫蒂默医生有些拘谨地说："福尔摩斯先生，其实，我来找您并不只是为了请您找出事情的真相。"

"哦？那还有什么？"福尔摩斯诧异地看着他。

莫蒂默医生搓了搓手，说："查尔兹爵士死后，留下了一大笔**家族遗产**。他没有孩子，只有两个弟弟，他们也都已经去世了。三弟没有孩子，所以财产应该由二弟的儿子亨利继承。这个小伙子之前一直在加拿大务农，听到大伯去世的消息才赶回英国。关于猎犬的传说，他还什么都不知道呢！一个小时之后，我就要去火车站接他了，可是我……我拿不准到底该怎么办才好……"

福尔摩斯笑了起来，说："这有什么难办的？您把他接回巴斯克维尔庄园不就好了？他们祖祖辈辈都居住在那里呀。"

"可……可我实在是担心，万一那个传说是真的怎么办？

要是……要是亨利回到庄园之后，也被**猎犬的诅咒**害死……哦，老天哪，查尔兹爵士已经够不幸了，我真不希望他唯一的侄子再遭受厄运！”

福尔摩斯认真地看着莫蒂默医生说：“您难道真的相信，他们庄园里有一条**幽灵般的猎犬**，世世代代加害他们家族的人吗？您可是医生，应该相信科学！”

莫蒂默医生似乎有点羞愧，不过，很快就恢复了那副惴惴不安的样子。他问道：“哎呀，福尔摩斯先生，您要是亲眼看见过那个黑影，肯定就不会不把我说的话当回事了。总之，您能否给我出个主意，我到底该不该跟亨利说出这些事呢？”

## 神游庄园

福尔摩斯沉默了几秒钟，看着莫蒂默医生说："医生，您现在就叫一辆马车，把亨利爵士接到伦敦，找一家旅馆住下。明早十点，您和亨利爵士一起来我家。在这之前，您先保守秘密，什么也别说。"

"一言为定！真是太谢谢您了，福尔摩斯先生。"莫蒂默医生紧锁的眉头一下就打开了。他怕自己忘记，还特地在袖口写下了"明早十点"四个大字，接着拿起手杖，匆匆忙忙地走了。

福尔摩斯坐在沙发里，炯炯有神的目光明显地透露出他对这个案子很感兴趣。而华生呢，他除了听明白一个幽灵猎犬的故事，其他的什么也没搞懂。他一脸疑惑，努力整理着脑海中杂乱的信息。突然，福尔摩斯开口了："华生，你要不要出去逛逛？我想一个人安静地思考一会儿。"

华生心里咯噔一下。嗯？自己竟然要被赶出家门？唉！

谁让对方是福尔摩斯呢？他认命地走了出去，在外面待到晚上九点才回来。

刚打开房门，他就吓得惊叫起来："哎呀，这是怎么回事？咳咳！我们的屋子着火了吗？福尔摩斯？"

原来呀，他们俩的屋子里弥漫着浓浓的烟雾，简直像是发生了火灾。华生用手飞快地扇着浓烟，大声咳嗽着往里走，总算看到了导致这一切的"**罪魁祸首**"——福尔摩斯，他正穿着睡衣蜷缩在沙发上，嘴里叼着一个不停往外冒烟的**大烟斗**。还没等华生发脾气质问，福尔摩斯就抢先说："亲爱的华生，你咳得这么厉害，难道是在俱乐部着凉了吗？"

华生**手忙脚乱**地挨个打开窗子，突然，他好像意识到了什么，惊讶地转过头，问："不对呀，福尔摩斯，你怎么知道我一直待在俱乐部？"

福尔摩斯笑着说："华生啊，今天外面一直在下雨，可你回来时身上却干干净净的，鞋子也没沾上什么泥。凭这些不难推理出，你一下午都待在室内的某个地方。"

华生还是不服气："我也可能是去了什么朋友家，不一定在俱乐部啊！"

福尔摩斯又笑了笑，说："华生，我可不知道你除了我之外，还有什么要好的朋友啊！我一眼就看出你在俱乐部过了一下午，反过来，你能猜出我下午去哪里了吗？"

华生愣了一下，心想："福尔摩斯难道出去过？"

"不可能吧，屋里烟这么大，你一下午肯定什么地方都没去，光顾着在屋里制造烟雾了！"

"哈哈哈。"福尔摩斯突然坐了起来，一脸神秘地说，"其实，我已经去过巴斯克维尔庄园了。"

"什么?!"华生惊讶得差点跳了起来。福尔摩斯却不慌不忙地拿出了一张地图。华生**恍然大悟**道："啊，我明白了，你是说，你人虽然还在贝克街，但心已经飞到庄园去了。"

福尔摩斯得意地说："不错，我的灵魂下午已经到庄园好好地转了一圈。现在，我对那块地方可是**了如指掌**了。"

他指着地图中间一座被森林环绕的庄园说："你看，这就是巴斯克维尔庄园。往右，有一个小村落，叫格林盆村，莫蒂默医生就住在那里。不远处还有一座房子，主人是一位生物学家，名叫杰克。村里总共没几户人家。附近有一座**大监狱**，嗯，王子镇的大监狱。再往外就是荒山和沼泽了。"

华生边看边皱着眉说："要我说，这地方实在太荒凉了，

怪不得大家都觉得凶案可能跟幽灵有关。”

福尔摩斯从地图上收回了目光，饶有兴味地看向华生，说：“亲爱的华生，你白天在俱乐部，心里一定也惦记着这个案子吧，不如和我说说，你是怎么想的吧。”

## 离奇的信件

华生为难地皱起眉头，说："唉，这个案子太**扑朔迷离**了，我想不通。福尔摩斯，你说查尔兹爵士为什么会突然改用脚尖走路呢？"

"哦，这太简单了，简直是个傻瓜问题。人用脚尖走路，只能证明一件事，那就是他在拼命地跑。"

"拼命地跑？"

"不错，他**非常害怕**身后的什么东西，害怕得快要发疯了。"

华生好奇地问："你怎么知道他害怕得快要发疯了？"

"只要他当时还有一点儿理智，就一定是往家的方向跑，可他却往水松夹道的尽头跑。他肯定是被吓得神志不清了。"

华生忍不住打了个冷战，说："难道……真是幽灵猎犬在追他？"

"这我就不知道了。现在我们需要弄清楚的是，那天晚上他到底在等什么人。”

“你怎么知道他在等人？莫蒂默医生不是说过，他每晚都要出门散步的吗？”

“你想啊，华生，案发当晚又湿又冷，查尔兹爵士却在栅栏门前站了五到十分钟，而且恰好是在他要去伦敦的前一天晚上。他很有可能是**跟什么人有约**。”

华生仔细想了想，觉得福尔摩斯说得有道理。

第二天早上十点，莫蒂默医生带着查尔兹爵士的侄子亨利准时来到了贝克街。亨利个子不高，但是非常结实，穿着一件红色的苏格兰呢衣服。他看起来三十岁左右，长着一对黑眼珠，眉毛又黑又浓，皮肤有些粗糙，应该是经常在户外劳动造成的。他脸上的神色显得坚强而又自信，隐约流露出

贵族家族的气质。

他刚坐下，就对福尔摩斯说："福尔摩斯先生，请您原谅我的冒失，但我必须现在告诉您，我刚刚在旅馆遇到了一件非常奇怪的事。"

福尔摩斯目光一下子锐利起来，好像一只发现了猎物的老鹰。他问："您刚到伦敦，就遇到怪事了？"

"没错。"亨利从口袋里拿出**一封信**，放在桌子上，上面写着"诺桑伯兰旅馆，亨利爵士收"。字迹很潦草，寄信时间是昨天傍晚，但没有留下寄信人的名字。信上的邮戳，用的是随处可见的普通邮戳。

亨利将要继承大伯的爵位，因此也被人称为爵士。他皱着眉头说："我是今早收到这封信的，但我住在诺桑伯兰旅馆这件事，只有我和莫蒂默医生知道。莫蒂默医生绝对不会说出去，这个寄信人又是从哪里得到地址的呢？"

福尔摩斯双手交互握在一起，思考了一下，说："亨利爵士，这只能证明一件事，那就是，您已经被人**跟踪**了。"

"什么?!"亨利和莫蒂默医生都紧张地坐直了身体。福尔摩斯却平静地拿起了那封信，说："恐怕我们一时半会儿也找不出这个跟踪您的人，还是先来看看信的内容吧。"

福尔摩斯拆开信，念道：“如果你还看重你生命的价值，或者还有一点儿理性，就远离庄园。”

显而易见，这封信是在**警告**亨利别回庄园，否则会有生命危险。而且，信上还有一个奇怪的地方：里面的字大多是**从报纸上剪下来**，然后拼起来的，只有“庄园”这两个字，是用钢笔写的。

福尔摩斯皱着眉，把信仔细地看了两遍，突然眼前一亮，对华生说：“昨天的《泰晤士报》呢？请给我拿来。”

华生把《泰晤士报》交给福尔摩斯，福尔摩斯飞快地翻开其中一页，指着里面的一段评论道：“你们看这里，看出什么没有？”

华生认认真真地读了一遍，可这段讲的是英国缴税的问题，跟眼前的案子没什么关系啊！亨利和莫蒂默医生也没看出什么门道。福尔摩斯提高了声调说：“看看报纸上的这些词：生命、理性、价值、远离，你们还没发现吗，信上那些**铅字**，正是从这里剪下来，又用胶粘在一起的！”

莫蒂默医生惊讶地瞪大了眼睛，惊呼道：“啊！还真是这样。不过，福尔摩斯先生，您怎么能一眼就看出，信上的铅字是出自《泰晤士报》呢？”

## 庄园新主人的选择

福尔摩斯微微一笑，说："不同的报纸，甚至同一报纸的不同栏目，都会采用不同的印刷字体。我一眼就能看出来。嗯？这是什么？"突然，福尔摩斯好像发现了什么似的，把信纸拿到鼻子底下，用力地**闻了闻**。

华生紧张地看着福尔摩斯，问："怎么了？"

福尔摩斯的脸上闪过一抹神秘的表情，但很快恢复了那副**若无其事**的样子。"嗯……没什么特别的。对了，你们看，这信上只有'庄园'两个字是手写的，恐怕就是因为，写信人在报纸上实在找不到这两个字。"

莫蒂默医生眼睛一眨不眨地看着福尔摩斯说："您真不愧是一个**名满天下**的大侦探啊！那从这封信里，您还能看出什么别的东西吗？"

福尔摩斯用一只手支着下巴说："第一，会购买《泰晤士报》的人，一定受过高等教育，但他刻意掩饰自己的笔迹，好像是怕被人认出来。'庄园'这两个字明显是故意写得潦草。第二，这些铅字贴得高低不齐，说明写信的人非常慌乱。可是他在慌什么呢？他写信的时候，怕被什么人撞见吗？还有第三点，他的钢笔看起来很不好用，写字的时候，笔尖在信纸上卡了好几次。这不像是受过高等教育的人日常会使用的私人钢笔，倒像是旅馆提供的廉价钢笔。"

另外三人听得目瞪口呆。莫蒂默医生不由得笑了起来："听着真像是**天方夜谭**。咱们现在是在胡乱猜测吧？"

福尔摩斯往椅背上一靠，说："不是胡乱猜测，而是合理推测。我们不知道真相的时候，不妨从各种可能性中找出最接近实际情况的那一个。这就是科学地运用想象力。"

三人频频点头，连声称赞。福尔摩斯**轻描淡写**地说："我们可以到查令十字街的各大旅馆搜查一遍，挨个检查他们的废纸篓。只要找到被剪破的《泰晤士报》，就能找到这个神秘的寄信人。不过，在这之前，我还要问亨利爵士一件事，除了这封信之外，您最近还有没有遇到别的怪事？"

亨利想了想，迟疑地说："我不知道这算不算**怪事**，但我今天早上丢了一只棕色的高筒靴。唉！这鞋是我昨晚刚买的，还一次都没有穿过呢！难道现在伦敦的小偷都这么奇怪，偷鞋只偷一只吗？”

福尔摩斯沉默了一会儿，说：“这件事的确有些奇怪，不过我猜，那只靴子很快就会回到您身边的。”

亨利并没有把这件小事放在心上，他说：“对了，莫蒂默医生，你从昨天开始就神神秘秘的，说有重要的事情要告诉我。今天又把我带到福尔摩斯先生这里来。这到底是怎么一回事啊？”

莫蒂默医生拿出了他收藏的那份旧手稿，把巴斯克维尔家族古老的猎犬传说，又从头到尾详细地讲了一遍。亨利的眼里露出难以置信的神色，他问道：“难道，大伯的死跟这个猎犬传说有关？猎犬……猎犬又出现了吗？”

福尔摩斯点点头，说：“亨利爵士，神秘人给您写信，就是为了警告您这件事。至于他是为了故意把您吓跑，还是善意的提醒，现在还很难说。眼下，该由您做决定了，到底要不要回到故乡去。只要您不回巴斯克维尔庄园，我想，那条所谓的幽灵猎犬，就一定不会伤害到您。”

亨利坚决地摇了摇头，说：“不，福尔摩斯先生，我才不相信这个世界上有什么幽灵鬼怪，更不相信大伯会被几百年前的猎犬害死。我就这么跟您说吧，就算现在有九头牛拉我，我也照样要回到故乡去。”

## 追踪神秘人

莫蒂默医生张嘴还想再说什么，亨利已经从椅子上站了起来。他对福尔摩斯说："谢谢您，福尔摩斯先生。您刚才的话太让人**震惊**了，我想先一个人待着静一静。等到下午两点，我希望能跟您共进午餐，可以吗？"

福尔摩斯微笑着接受了亨利的邀请，说："当然没问题，两点见！"

亨利和莫蒂默医生的脚步声消失在门外。福尔摩斯突然**一跃而起**，好像变了个人似的叫道："快，华生，穿好你的衣服，我们要出门！"

华生愣住了，不明白是怎么回事。不过，他还是按照吩咐，迅速换好了衣服和鞋子。两人匆匆忙忙跑下楼梯。福尔摩斯四处张望了一下，看到亨利和莫蒂默医生的背影，凑到华生耳边小声说："我们跟上他们俩。"

华生一开始还搞不懂福尔摩斯的用意，跟了一段路，才突然想到，不是有个神秘人给亨利写信吗，他肯定一直在跟踪亨利，所以才知道亨利的地址。福尔摩斯这么做，一定就是为了**找出那个神秘人**！

他们俩跟着亨利和莫蒂默医生转过几条街。有时，亨利和莫蒂默医生停下来向商店的橱窗张望，福尔摩斯也拉着华生停下来，假装不经意地四处张望。突然，他高兴地轻轻叫了一声。华生连忙顺着他的目光看过去，只见一辆马车正停在街边，等亨利和莫蒂默医生重新迈开脚步时，马车也跟着慢慢前进。

就在这时，车里一个男人从马车的侧窗中向他们俩转过脸来。华生留意到，他的脸上长着一撮油亮的**黑胡子**，两只眼睛炯炯有神。

突然，那人打开车顶的窗户，扯着脖子向马车夫喊了一声什么。“驾——”马车夫扬鞭吆喝，转眼间，马儿拉着马车一路狂奔起来。福尔摩斯急切地说：“就是那个人。华生，我们快追！”说着，他撒开双腿向前飞奔，

在车马的洪流中疯狂地追赶目标。可是，那辆马车跑得太快了，很快就不见了踪影。

福尔摩斯气喘吁吁地停下来，恼怒又不甘地跺了跺脚，说：“糟透了！**真是糟透了**！”

华生喘着粗气，说：“福尔摩斯，那家伙到底是谁啊？”

“我……我也不知道，但我猜……他一定就是那个神秘人！”

华生懊恼地说：“哎呀，我没记下那辆马车的车牌号！”

福尔摩斯却说出了一串让他惊讶的数字：“**车牌号**：2704。但是，我们刚才真不应该冒冒失失地跑着追上来，应该也叫一辆马车，慢悠悠地跟在他后面才对。现在好了，我们暴露了！以后就没那么容易找到这个神秘人了。”

“那我们现在该怎么办呢？”华生茫然地看着福尔摩斯，问道。福尔摩斯一挥手，说：“走，我们去一个地方！”

他带着华生来到了一家给工人介绍工作的地方。“嘿，老伙计！你手底下是不是有个叫卡特莱的孩子？能不能麻烦你把他叫来？”福尔摩斯问道。

这里的经理看起来跟他是老熟人，热情地招呼道：“福尔摩斯先生，您来啦！”他一边说着，一边回头喊了几声：“卡特莱！卡特莱！”一个十四岁的小男孩从里面走了出来，满脸崇

拜地望着福尔摩斯，显然，他也认识这位大名鼎鼎的大侦探。

福尔摩斯从柜台上拿了一本伦敦旅馆手册，弯下腰来对卡特莱说："你看，在查令十字街附近，总共有二十三家旅馆，我要你**挨家挨户**地走进这些旅馆，检查他们的废纸篓，寻找一张被剪破了的《泰晤士报》。"

## 电报试探

卡特莱使劲点了点头。福尔摩斯摸了摸他的脑袋，又从口袋里掏出一把钱，叮嘱道：“这些钱你拿着！每去一家旅馆，就给看门人一先令，这样他们就肯把废纸篓交给你啦！剩下的钱都归你。记住，不管有没有找到那张报纸，傍晚之前，你都要往贝克街发一封电报，把结果告诉我。”

卡特莱把钱揣进兜里，高兴地回答道：“遵命，福尔摩斯先生！”说完，一溜烟跑了出去。

福尔摩斯微笑着对华生说：“好了，我们接下来去**发电报**给马车局，查一下 2704 这个车牌号。”

到了下午两点，福尔摩斯和华生准时来到亨利住的旅馆。没想到，还没进房间，他们俩就在走廊上和亨利撞了个正着。亨利满脸通红，手里提着一只满是尘土的黑色皮鞋，气冲冲地说：“太过分了，太过分了！我昨天丢了一只棕色的新鞋，今天又丢了一只黑色的**旧皮鞋**。你们说，我能不生气吗？”

福尔摩斯问道：“亨利爵士，您是说，昨天丢的新鞋还没找回来，今天又丢了一只旧鞋吗？”

亨利为刚才的**大呼小叫**有点不好意思，他回答道：“唉，是呀！没想到这旅馆竟然有这么多无聊的小偷，让福尔摩斯先生看笑话了。”

福尔摩斯捏了捏自己的下巴，**若有所思**地说：“竟有这种事！有意思！有意思！”

大家一起吃了顿午饭。亨利表情坚定地说：“我想好了！我还是要回到巴斯克维尔庄园去。这周末就走。”

福尔摩斯赞同地点了点头，说："您的决定很英明。其实，您在伦敦已经**被人盯上了**，我们甚至看到了神秘人的脸。"

莫蒂默医生一下子惊慌起来："什么？你们抓住他了没有？"

华生沮丧地摇了摇头，但接着又眼前一亮，说："对了，我们看到的那个家伙留着**黑黑的胡子**，你们有没有见过这样的人啊？"

莫蒂默医生皱着眉思考着："嗯……黑黑的胡子……啊，我想到了，**庄园的管家**巴里莫尔！他就留着两撇小胡子！"

福尔摩斯急切地问："管家现在在哪里？"

"应该就在庄园。"

福尔摩斯快速朝电报纸走过去："我们必须尽快证实，管家此刻在不在庄园。如果不在，他就有在伦敦跟踪亨利爵士的嫌疑。莫蒂默医生，离庄园最近的电报局在哪里？"

"在格林盆村。"

福尔摩斯在电报纸上飞快地写了起来。"好，那我们马上发一封电报给管家，再请那里的邮政局局长亲手把电报交给管家本人。这样，我们就能确认他到底在不在家了。"

莫蒂默医生张大了嘴巴，半晌才问了一句话："那……那电报的内容要说什么，才不会引起怀疑？"

福尔摩斯轻松地回答道："这简单，通知他做好迎接亨利爵士的准备。莫蒂默医生，能不能说说，巴里莫尔管家是个什么样的人？"

莫蒂默医生回想了一下，说："他呀，是上一任老管家的儿子。他们家族已经为庄园工作了**一百年**。他的太太也在庄园里工作。这对夫妻在乡下很受人尊敬。我想……管家应该不会干出什么危害爵士的坏事吧？"

福尔摩斯继续问："查尔兹爵士生前就立过**遗嘱**，对吧？死后他的遗产是怎么分配的？那对管家夫妻从遗嘱中得到了什么好处吗？"

"他和他的妻子每人得到了五百英镑。哦，福尔摩斯先生，您不会觉得，只要是从遗嘱中获得好处的，就都有犯罪嫌疑吧？查尔兹爵士还给我留了一千英镑呢！"

"您别担心，我并不怀疑您。那么，剩下的遗产呢？"

"剩下的基本都给了亨利爵士，总共有七十四万英镑。"

## 扑朔迷离的线索

福尔摩斯大吃一惊，说："竟然有这么多！不知道会有多少人对这笔财产垂涎三尺！很抱歉，我必须做一个假设，万一，万一亨利爵士去世了，那么这笔财产将由谁继承？"

莫蒂默医生替亨利回答道："亨利爵士没有更亲的亲人了，只有一位远房亲戚。他是一位年长的牧师，对钱财绝无半点贪念。之前查尔兹爵士要给他财产，他都坚决不肯收下。我想，他应该没有什么犯罪的嫌疑。"

福尔摩斯点点头，转向亨利说："亨利爵士，为了安全起见，您千万不能独自一个人去庄园，这段时间需要有人形影不离地陪着您。"说着，他突然拍了拍华生的手背，问："华生，你愿意陪亨利爵士一起去吗？"

华生愣了一下，还没来得及回答，亨利已经热情地握住了他的手，说："太谢谢您了，华生医生！"

华生用力点点头，说："放心吧，我一定好好保护亨利爵士！”

福尔摩斯愉快地说：“那太好了，你们这周六出发吧。华生，还有一件事拜托你。在那里发生的所有事，都请详细地写成报告寄给我吧！”

“没问题！”华生自信地拍着胸脯说。

就在这时，亨利突然激动地冲向房间的角落，从橱柜底下拖出一只棕色的高筒靴，喊道：“哎呀，这不就是我昨天丢的鞋嘛！怎么会在这里？”

他难以置信地拿着鞋子左看右看，说：“这也太奇怪了，我刚丢了一只旧鞋，昨天的新鞋就莫名其妙地回来了，它们总不会是长了腿，能到处跑吧？”

华生试探着问道：“是不是找的时候忽略了哪个角落？”

莫蒂默医生立刻摇摇头说：“不可能，我们当时把所有犄角旮旯都找遍了！”

一件又一件的怪事，让福尔摩斯陷入了沉思。

那天傍晚，福尔摩斯收到了两封电报。第一封是亨利爵士发来的，他告诉福尔摩斯，之前发往庄园的电报有回音了，邮政局局长说，他把电报交到了管家手里。这说明，管家一直待在庄园，所以，他不可能是福尔摩斯在街上见到的神秘人。第二封是小男孩卡特莱发来的，汇报了任务的完成情况：他找遍二十三家旅馆，都没有发现被剪破的《泰晤士报》。

福尔摩斯把电报纸往桌子上使劲儿一拍，叹了一口气，说："唉，**两条线索都断了**！"

华生提醒福尔摩斯："还有那辆车牌号 2704 的马车呢！"

**丁零丁零**！就在这时，公寓的门铃响了，一个举止有些粗鲁的家伙出现在房间门口。他开口说道："两位先生，我就是 2704 号马车的车夫。我赶了七年马车，还从没被客人投诉过。听说两位找我有急事，该不会是对我有什么不满吧？"

福尔摩斯敲了敲**烟斗**，说："别担心，先生。我们可不是要找你的麻烦。相反，要是你能答出我的问题，我还会给你些报酬。"

马车夫立刻喜笑颜开："先生，您尽管问，我保证知无不言，言无不尽！"

“请问你叫什么名字呢？”

“我叫约翰。”

福尔摩斯点了点头，说：“很好，约翰。今天早上，你拉了个客人，他在街上监视这栋房子，然后又跟踪了从这里出去的两位先生，对吧？”

马车夫吓了一跳，**结结巴巴**地说：“这……这个……先生……您是怎么知道的？”

## 棋逢对手

“你不用管我是怎么知道的，只要把整件事情原原本本地告诉我就行了。”

马车夫犹豫了一下，说：“唉，既然您都清楚了，那我就直说吧。我早上的确载了个人，他说他是个大侦探，打算雇我一天。”

“那你这一整天都干了些什么呢？”

马车夫边回想边说：“嗯……我们先去了一家旅馆门口盯人，看到两位先生走出来，就跟在他们俩身后，一直跟到了这附近。后来等他们俩从这里出去，又继续跟踪他们俩。再后来，那位侦探先生好像看到了什么，突然着急地催我说：‘快离开这里，去火车站！’我连忙赶着马车到了火车站。”

福尔摩斯若有所思地点了点头，说：“嗯，他看见我和华生了，所以迅速开溜了。”

马车夫接着说：“那个侦探直接走进了火车站。不过，他在进去之前，把他的名字告诉了我。”

福尔摩斯脸色一变，问：“什么？他叫什么名字？”

马车夫回答道：“他说他叫**夏洛克·福尔摩斯**！”

福尔摩斯一下子愣住了，很快便放声大笑起来：“哈哈哈哈，妙啊，华生！我们遇到对手了！他认出我来了，竟然还冒充我的名字戏弄我们！”

他紧接着问马车夫：“你还记得那位福尔摩斯长什么样吗？”

马车夫比画了一下，说：“他看起来有四十岁，个头比您矮十厘米左右，嘴边留着两撇小胡子，脸色十分苍白。”

“还有呢？”

“还有……哎呀，别的我也记不起来了。”

福尔摩斯把钱交到马车夫手里，说：“好吧，这钱现在是你的了。”

马车夫拿着钱**欢天喜地**地离开了。福尔摩斯失望地耸了耸肩，说：“这条线索也算是断了。华生，这回咱们的对手可不好对付啊！”

一转眼，周六了，华生要陪着亨利一起前往德文郡，他们要去的巴斯克维尔庄园就在那里。到了火车站，福尔摩斯问亨利和莫蒂默医生："朋友们，这两天你们在旅馆没再遇到什么怪事了吧？"亨利摇了摇头。福尔摩斯又问："对了，您失踪的那只旧皮鞋，后来有没有找到？"

亨利长叹一口气，说："唉——没有，我觉得那只鞋可能真的再也找不着了。"

福尔摩斯皱着眉点了点头，说："好吧。亨利爵士，请记住，在那个古老的传说里有一句话：千万不要在黑夜降临的时候走过沼泽。还有，平时也**不要独自出门**。祝你们一路顺风！"

华生、亨利、莫蒂默医生三人一起坐上了火车。一路上，亨利新奇地望着车窗外的风景。他很小就离开了德文郡。当

眼前的景色越来越熟悉时，他脸上的表情也越来越激动，他发自内心地赞美道：“太美了！太美了！我去过世界上很多地方，还从来没见过一个地方能跟这里相比。”

火车摇摇晃晃地行驶了几个小时，最后在一个很小的车站停了下来。一辆四轮马车正在这里等着迎接亨利爵士。几分钟后，马车行驶在灰白色的宽阔大道上。起伏不平的牧草地向道路两侧蔓延，不时有古老的房屋透过浓密的绿荫露出**影影绰绰**的身影。

## 回归故乡

“啊，那是什么？”莫蒂默医生突然指着前方叫了起来。在一个长满灌木丛的陡坡的顶端，立着一尊骑士雕像。仔细一看，原来竟是真人，一个皮肤黝黑、神情严峻的**士兵**骑在马背上，一动不动地监视着他们所走的这条路。

马车夫抬头看了一眼，说："哦，附近王子镇的监狱逃走了一个凶残的罪犯，叫赛尔丹。现在警察正到处抓人呢。这附近的路都被监视起来了。"

华生倒吸了一口凉气。他早就听说过这个赛尔丹。他的凶残是出了名的，之前他的案子还引起了福尔摩斯的注意呢！要是这个魔鬼也藏在附近，那巴斯克维尔庄园就更危险了。

太阳渐渐落山了。夕阳西下，水流被照得像金丝一般，红色的土地和茂密的树林也都闪闪发光。在一处树林的顶上，伸出了两个又细又尖的塔尖。马车夫用鞭子指了指，说："这就是**巴斯克维尔庄园**。"

很快，他们来到了庄园门口。由铁条交织而成的铁门敞开着，两侧各立着一根**久经风霜**的柱子，上面爬满了暗绿色的苔藓。柱子的顶端立着用石块刻成的家族徽标——野猪头。

庄园里除了阴森古老的老房子，对面还有一座建了一半的新房子。只可惜，查尔兹爵士还没有完成建新房屋的心愿，就已经离开了人世。

一个高高瘦瘦的男人早已在庄园门口等候，一看到他们的马车，就迎了上来，说："亨利爵士，欢迎回到巴斯克维尔

庄园！我是您的管家巴里莫尔。”

这时，莫蒂默医生向亨利告辞，赶回自己家去，留下华生陪着他。管家带领他们俩走进庄园。在昏黄的灯光下，华生看清了管家的样貌。他长得仪表非凡，皮肤白皙，嘴边留着整整齐齐的黑胡子。华生心里暗想：“他看起来果然不像我们在街上追踪的那个人。”

他们在庄园里吃了一顿丰盛的晚餐。虽然房屋内布置得华丽而考究，但华生总感觉四处弥漫着**阴森森的气息**。亨利却**神采奕奕**地感叹道：“对，这就是我想象的古老庄园该有的模样！我们家族的人，已经在这里住了五百年啊！”

这天晚上，华生躺在床上**翻来覆去**，怎么也睡不着。突然，寂静的夜里传来一种奇怪的声音，好像是一个女人的哭声！华生一骨碌从床上坐起来，侧着耳朵仔细地听了一阵。没错，的确是女人的哭声，哭得悲痛而又隐忍，似乎在努力忍住哭声却又**无济于事**。听起来，这哭声就是从庄园里面传来的。

第二天早上，华生迫不及待地问亨利：“爵士，您昨晚有没有听到一阵哭声啊？”

亨利回忆了一下，说：“这个……昨晚半梦半醒的时候，我好像隐约听到了哭声，但后来又听不见了，所以我一直以为我是在做梦。”

华生使劲摇了摇头，说：“绝对不是梦，我听得清清楚楚的，是**有个女人在哭**。”

## 管家撒谎

亨利爵士丁零丁零地摇响铃铛，叫来了管家，问道："巴里莫尔先生，你昨晚有没有听见一个女人的哭声？"

管家的脸色瞬间变得十分苍白，他回答道："爵士，庄园里总共只有两个女人，一个是女仆，另一个是我的妻子。我敢保证我太太昨晚没哭。而且……昨晚我什么都没听见，会不会是您和您的客人听错了？"

亨利和华生面面相觑。早餐后，华生在走廊上碰到了管家太太，她双眼又红又肿，一看就是昨晚刚哭过的。奇怪

了，管家不可能不知道他太太在哭，那他为什么要撒谎呢？

华生忍不住回想起在伦敦街上看到的那张脸。其实，他们当时也没看清那个人到底长什么样。会不会就是管家乔装打扮的呢？但根据马车夫的说法，那家伙比福尔摩斯矮不少，而管家的个子却很高，这下又对不上号了。华生被这些想法搞得心烦意乱的。突然，他想起了一件事。

当初，福尔摩斯为了验证管家在不在庄园，曾经给他发过电报，还提醒格林盆村的邮政局局长，一定要把电报当面交给管家。华生打算出门去找邮政局局长，当面确认一下当时送电报的情况。

但是结果让华生非常失望。邮政局局长说，他当时是派自己的儿子去送电报的，儿子把电报交到管家太太的手里就离开了，并没有见到管家本人。

事情一下子变得更加扑朔迷离了。华生根本没法判断，管家当时到底是在伦敦的街上，还是一直老老实实地待在庄园里。

凶手会是巴里莫尔管家吗？可他为什么要谋害查尔兹爵士呢？华生一边胡思乱想，一边往回庄园的路走去。突然，他身后传来一阵急匆匆的脚步声。

“华生医生，华生医生！”听见喊声，华生回头一看，发现不远处有个陌生人在朝他挥手。那人身材矮小，穿着一身灰色衣服，淡黄色的头发上戴着一顶草帽。他的样貌非常端正，下巴尖尖的，胡子也刮得很干净。这会儿，他手里拿着一个绿色的捕虫网，**气喘吁吁**地跑上前来：“华生医生，冒昧打扰，请您见谅。莫蒂默医生跟我提起过您。您可能也听说过我的名字，我是莫蒂默医生的邻居，我叫杰克，是个**生物学家**。”

“原来是您呀！您好，杰克先生！”

杰克和华生握了握手，热情地问：“听说亨利爵士昨天就

到了，他一切都好吧？”

华生点了点头。杰克突然四处张望了一下，神秘兮兮地说：“其实啊，自从查尔兹爵士被猎犬吓死之后，我们都以为亨利爵士不敢回来住了呢！”

华生愣了一下，说：“嗯？您怎么知道查尔兹爵士是被猎犬吓死的？”

“哦，我也是从莫蒂默医生那里听说的。”

华生觉得**有点儿不对劲**。他隐约记得，莫蒂默医生说过，他没有把猎犬的事告诉过任何人，因为怕吓到庄园附近的居民。不过，也许是莫蒂默医生自己记错了呢？这时，杰克突然又说：“华生医生，您真觉得查尔兹爵士的死跟猎犬有关吗？还有福尔摩斯先生，他又是怎么看的呢？”

华生**大吃一惊**。这个杰克，竟然连福尔摩斯都知道！杰克连忙解释道：“您别多心，其实我早就听说过福尔摩斯先生的大名。要是他能帮忙破解查尔兹爵士的谜案，那真是再好不过了。”

接着，他又说：“其实，我妹妹也对您慕名已久了，您愿意认识她一下吗？”

## 危险的泥潭

华生有些犹豫，他本来打算尽快回到亨利爵士身边，可是转念一想，要调查真相，就应该把附近的人都认识一遍才对。

“好吧。”华生答应着，跟着杰克走上了一条小路。杰克指了指四周，说：“华生医生，我两年前才搬过来，在当地人眼里，我还是新来的外地人呢！但作为生物学家，我对这里的一草一木早已了如指掌。您看，那一大片看着像绿油油的原野，其实……它是一个**大泥潭**，危险得很！经常有动物一不小心陷进去，那就再也爬不出来了。昨天我就看到一匹可怜的小马掉了进去。哎呀呀！快看，又有小马倒霉了！”

华生扭头一看，只见一匹棕色的小马正陷在那长满绿色水草的泥潭中。它拼命挣扎，浑身扭来扭去，却越陷越深。华生想冲上去救它，却被杰克一把拉住。“您不要命啦？它已经陷进泥潭中心了，现在谁也救不了它！”杰克说。

当小马最终消失在泥潭中，华生忍不住打了一个冷战。

这时，杰克神秘地说："不过啊，这片泥潭里其实有一条**隐蔽的小路**可以走。我为了观察里面的植物，经常走那条路。只不过，那条路七拐八弯，复杂极了，一般人记不住。"

华生把目光从绿色的泥潭移开，看到山坡上有不少用石头围成的圆圈，好奇地问："那些又是什么啊？羊圈吗？"

杰克朝山坡看了一眼，说："哦，那是远古时期的原始人留下的石头房子，有的里面还保留着当年的灶台和床呢。只不过，大部分都没有屋顶了。"

华生兴致勃勃地打量着周围的一切。就在这时，一阵低沉粗哑的嚎叫声打破了周围的宁静："嗷呜——嗷呜——"华生从来没听过这么可怕的嚎叫声，不觉倒吸一口凉气。他惊恐地问道："天哪，是什么东西在叫？"

杰克紧张地拉住他，神秘地说："我听说……这……这就是传说中的**幽灵猎犬**。”

“啊？哈哈哈，不会吧？我可不相信那个诅咒是真的。”

杰克抬头看了看天，说：“啊，其实也有可能是鸟叫。沼泽里有种叫鹭鸶的鸟，它们的声音也很吓人。”

两人说说笑笑地往前走。突然，一只大飞蛾从他们面前飞过。杰克立刻两眼发光，丢下华生，举起捕虫网就扑了过去，一直追到了泥潭里的小路上。华生害怕得心都快跳到嗓子眼了。他刚刚可是见识过那片泥潭有多危险！

正在这时，一位美丽的姑娘迎面走了过来。她长着淡色的头发和灰色的眼睛，肤色很深，但面容精致，一双美丽的眼睛闪着热情的光芒，再加上纤长的身材、优雅的气质，真

可以称得上是一位大美人。华生心想："杰克有个妹妹叫贝丽尔，听说是位美人，想来，面前这位就是贝丽尔小姐吧。"华生刚要和她打招呼，姑娘就匆匆走到他身边，急促地低声说："**快离开这里**，回伦敦去！"

华生一下子愣住了，问道："啊？您为什么这么说？"

"我求求您了，快离开这里，立刻就走，千万不要再回来！"她慌乱地朝大泥潭看了一眼，紧张地说："啊，我哥哥过来了，嘘！千万别说我刚才警告过您。"

杰克喘着粗气，满脸通红地跑到他们俩旁边，说："哦，真是不好意思！贝丽尔，你来啦，看起来，你们两个已经互相认识过了吧！"

贝丽尔假装若无其事地看着华生，说道："没错，我已经和亨利爵士打过招呼了。"

亨利爵士？华生恍然大悟，原来贝丽尔把自己当成亨利爵士了。所以，她刚刚是在警告亨利爵士吗？可是她又为什么不敢让她哥哥知道呢？

## 杰克的故事

杰克夸张地喊道："什么？亨利爵士？亲爱的贝丽尔，你可犯了大错！这位是华生医生，可不是亨利爵士哟！"

贝丽尔懊恼地涨红了脸，难为情地说道："真是太抱歉了，华生医生，我竟然在误会中跟您聊起天来了。"

杰克热情地拍了拍华生的胳膊，说："华生医生，那边就是我家。走，过去坐坐吧！"

那是荒凉的**沼泽边上**一座孤零零的房子，四周被果园环绕着，只是，那些果树都因为营养不良而长得十分矮小。整座院落透出一股阴郁的味道。

华生不禁纳闷起来：是什么原因让这样一位博学的生物学家和他美丽的妹妹，愿意搬到这样一个地方来居住呢？

生物学家杰克似乎看出了华生的疑惑，笑着回答道："我选了个怪里怪气的地方，哈哈！但是，我和妹妹在这里过得很快乐。是吧，贝丽尔？"

"嗯，很快乐。"贝丽尔回答道，语气听起来却有些勉强。

"其实，我以前**在北方办过一所学校**。"杰克开口讲起了自己的故事。

华生大吃一惊，问道："原来您还当过校长啊！那您后来怎么会搬来这里呢？"

杰克叹了一口气，说："唉，还不是因为学校后来发生了严重的传染病，死了三个孩子。经过那次**事故**，我关掉了学校，带着妹妹搬了过来。我非常喜欢这里的环境。这里有很多罕见的动植物，简直是生物学家的天堂！而且，我还在这里认识了好朋友莫蒂默医生，还有之前的查尔兹爵士。唉，他的死让我难过极了……"

听到这里，华生不禁也跟着感慨起来。杰克盛情挽留华生吃午餐，但华生想到亨利爵士还独自留在庄园，便婉言谢绝了他的好意，沿着来时的路往庄园走去。

刚走出没多远，他就被眼前的一幕吓了一跳。原来，杰克的妹妹贝丽尔正气喘吁吁地坐在前面小路旁的一块石头上。她一看到华生，就快步走上前来，说：“华生医生，我是特地抄近道过来的。我必须要为之前把您认成亨利爵士的事道歉！请您把我说的话忘了吧！这和您无关！”

华生无所谓地摆了摆手，说：“这点小事不算什么，但是……您为什么要**警告**亨利爵士，叫他离开这里？又为什么不让杰克知道呢？”

## 管家的怪异行为

贝丽尔的眼神有点儿闪躲。她迟疑了一下，说："我之所以警告亨利爵士，完全是因为相信猎犬的传说。如果您不相信，就把我说的都忘了吧！至于我哥哥，他一直希望亨利爵士能回到庄园。要是他知道我居然叫亨利爵士离开，一定会大发雷霆的，所以我才不让他知道。信不信随您吧！"说完，她转身迅速离开了。

华生一头雾水地回到了庄园。当天晚上，他给福尔摩斯写了**一份长长的报告**，把夜里女人哭泣、管家撒谎，还有杰克兄妹俩的奇怪举动全都详细地写了进去。对了，还有他进庄园前就听说的逃出监狱的罪犯。

很快，华生收到了福尔摩斯的回信。回信非常简短，只是一再叮嘱华生，一定要**寸步不离**地守护在亨利爵士身边。

可是，华生的任务很快就遇到了挑战。因为没多久，亨利爵士就陷入了爱河。让他一见倾心的那位女士，正是杰克的妹妹贝丽尔。华生实在不好意思总跟着他，影响他们俩谈恋爱。

这段时间，华生出门散步经常会遇到另一个邻居弗兰克兰。他是个头发花白、面色红润的老先生，看起来很和蔼，却是个不折不扣的**怪人**。他有个特别的爱好——跟人打官司，经常因为一些莫名其妙的事把别人告上法庭。他曾经拆掉别人家的大门，向法庭控诉，说那里很久以前是一条公共的通道。他最近还打算控告莫蒂默医生，说他在古墓里挖掘原始人的头骨，却没有经过死者亲属的同意。

这位弗兰克兰老先生还是个**天文爱好者**，他有一台高级望远镜。华生经常看到他趴在自家屋顶，用那台大大的望远镜四处张望。有一回，华生忍不住问他："嘿，弗兰克兰先生，请问您这是在做

什么啊？”

弗兰克兰低头瞥了华生一眼，不耐烦地回答道：“看不出来吗？我正在观察远处的沼泽和山地。那个逃犯赛尔丹就藏在附近，我一定能把他找出来！”说完，他那白花花的脑袋又凑到**望远镜**后面去了。

这位弗兰克兰老先生真是不好相处！华生只好默默地离开，回到庄园去了。

华生对管家巴里莫尔的疑虑依然没有消除。管家曾经向亨利爵士提出辞职，说庄园的氛围太诡异，他和太太不愿意留在这里。亨利好一番挽留，才勉强留住了他们。

华生发现事情越来越**不寻常**。他经常在巴里莫尔太太的脸上看到泪痕。难道管家私底下总折磨自己的妻子吗？他到底有什么不可告人的秘密？华生下定决心，一定要弄清楚这件事。

这天晚上，睡梦中的华生突然被一阵脚步声惊醒了。他睁眼一看，已经凌晨两点了。是什么人这个时候还在外面走动呢？华生轻手轻脚地穿好衣服，把房门打开一条缝，悄悄探头往外看。只见微弱的烛光在地面投下长长的影子。拿蜡烛的人身材高大，**鬼鬼祟祟**地向前走着。华生一眼就认出那背影正是管家的，连忙小心翼翼地跟了上去。

管家穿过长长的走廊，进了一间空屋子。华生**蹑手蹑脚**地跟到门边，朝里面偷偷一看，只见管家站在窗前，把蜡烛贴近窗户，一动不动地注视着远处漆黑的夜色。就这样过了好几分钟，管家长长地叹了一口气，不耐烦地吹灭了蜡烛。

华生在被管家发现之前迅速回到了自己的房间。他躺在床上翻来覆去，百思不得其解。管家到底在干什么呢？过了一会儿，庄园的大门那边传来咔嗒一声，似乎是有人出去了。

## 尴尬的求婚

第二天一早，华生就把这件事情告诉了亨利。亨利听后非常激动，满脸通红地说："我早就听到巴里莫尔夜里经常到处走动了。他到底想干什么？我这就把他叫来问个清楚！"

华生连忙制止了他："爵士，这样恐怕会**打草惊蛇**。不如，我们晚上偷偷跟踪他，看看他究竟在干什么吧！"

亨利一听这话，就来了兴趣，**摩拳擦掌**地说："好，那就这么办！"

说完，亨利站起来穿上外套，拿起帽子，说："好了，现在我要出去一趟。"看他满面春风的样子，想必是要去见心上人贝丽尔。

华生硬着头皮想跟出去，却被亨利毫不客气地拦在了门口。"华生医生，我去见个人，不会有任何危险，您请回吧！"

华生当然不想妨碍亨利和心上人见面，可是，万一亨利一个人出去，路上遇到危险怎么办？他**左右为难**，焦躁不安地在院子里踱来踱去。最终，他还是迈开腿跟了上去，只不过，远远地跟着，不让亨利发现自己。华生自己都觉得难为情。唉，亨利已经是自己的好朋友了，他竟然要这么偷偷地跟踪他。

远远地，他看到亨利和贝丽尔见了面，两人肩并肩地慢慢走着。贝丽尔似乎在认真地说着什么，亨利静静地听着，不时坚决地摇摇头。华生悄悄地爬上附近的一座小山，那里是个不错的监视位置。突然，他发现就在离亨利和贝丽尔的不远处，有个绿色的**捕虫网**在空中移动！呀！是杰克！他手里攥着捕虫网，正朝他们俩走过去。

就在这时，亨利突然拉住了贝丽尔的手，热切地说着什么。令人吃惊的是，杰克撒开腿狂奔过去，冲到他们俩面前，**手舞足蹈**地大吼大叫，一脸暴怒的表情。最后，杰克拉着贝丽尔怒气冲冲地离开了那里，只剩亨利一个人莫名其妙地站在原地。

华生连忙从山上跑了下去，来到亨利身边。亨利看到华生，满脸通红，眼里几乎可以喷出**火焰**来。他大声喊道：“天哪！华生，您竟然跟踪我！这太不像话了！”

华生连忙解释道：“对不起，亨利爵士，我是万不得已。福

尔摩斯千叮咛万嘱咐，说千万不能让您一个人出去。对了，刚才是怎么回事？杰克怎么突然冒出来了？”

亨利的怒气还没消，大吼道：“杰克怎么冒出来的？我也想知道啊！我向贝丽尔求个婚，怎么好像全村人都跑来围观了？华生，您刚才看戏的座位在什么地方啊？”

华生不好意思地指了指附近的小山头。亨利无奈地笑了笑，说：“呵呵，原来您坐在很远的后排啊！但是，她哥哥可是跑到了最前排！华生，您看到了吗？她哥哥直接跑到我们面前来了！”

## 烛光信号

亨利越说越激动："她哥哥杰克简直是疯了，总是不愿意贝丽尔跟我见面。贝丽尔倒是挺喜欢我的，见到我很高兴。可是，刚才我们俩在一块儿的时候，她不停地跟我说，这里很**危险**，让我赶紧离开庄园。华生医生，这到底是怎么回事啊？"

华生一下子想起来了，贝丽尔之前把他当成亨利的时候，也曾经**警告**他，让他赶紧离开庄园。看来，她现在还是没放弃这个念头！

亨利接着抱怨道："我坚持不肯离开。我跟她说，除非她愿意做我的妻子，跟我一起走。可是还没等到她回答呢，她哥哥不知道从哪里冒了出来，像个疯子一样把我数落了一顿，然后把贝丽尔带走了。我实在是不明白，杰克对我到底有什么不满的？我配不上他妹妹吗？"

华生挠了挠头，半天说不出话来。亨利是一位优秀的年轻人，如今又继承了尊贵的身份和巨额的财产，应该是很多人心目中理想的结婚对象。为什么杰克要如此强烈地反对呢?

两个人一起回到庄园。没过多久，一位**不速之客**上门来了，竟然是杰克！这回，他的态度十分谦逊诚恳，跟亨利在房间里单独谈了很久。华生十分好奇，心想："他才骂完人，现在又上门来做什么呢？"

等杰克离开后，亨利向华生揭晓了谜底。原来，杰克是来道歉的。他解释了自己刚才情绪失控的原因。他和妹妹贝丽尔一直**相依为命**，一时之间无法接受妹妹离开自己去跟别人生活。所以，当他发现妹妹开始恋爱，甚至被求婚，他才会像疯了一样百般阻挠。不过，他现在已经认识到，自己是在无理取闹。他只求亨利爵士能给他三个月的时间，暂时别向贝丽尔求婚，让他对未来的孤独生活有个适应的过程。亨利当然爽快地答应了，并且和杰克约好，下个星期到杰克家吃饭。

到了晚上，亨利和华生**兴致勃勃**地准备着早上计划好的行动——跟踪管家巴里莫尔。可是，他们俩在屋子里一直等到凌晨三点，走廊上却什么动静也没有。两人只好哈欠连天地睡觉去了。

他们俩并没有就此放弃，第二天晚上继续耐心等待。

当！当！午夜的大钟敲了两下，凌晨两点了。亨利和华生已经昏昏欲睡。突然，走廊上传来一阵咯吱咯吱的脚步声。亨利和华生瞬间清醒过来，猛地坐直了身子。

等到脚步声远了一些，亨利轻轻推开门，给华生使了个眼色。两人蹑手蹑脚地走了出去，跟在拿着蜡烛的管家身后。

这座房子十分老旧，即使他们俩把脚步放得很轻很轻，但每走一步，地板还是会发出吱呀吱呀的声音。管家却一次也没有回过头。亨利说，管家的耳朵不太好使，听力不好。

不一会儿，管家又走进了上回那个房间。华生他们俩悄悄跟上去，站在门外往里张望。只见管家举着蜡烛，苍白的脸专注地贴在窗玻璃上，就像上次那样。他到底在干什么呢？华生疑惑地看着这个诡异的画面，突然，亨利用力把门一推，板着脸大步走了进去。

管家**回头一看**，猛地从窗户边弹开了，身体不停地颤抖，脸色在烛光的映照下越发灰白，闪闪发光的眼睛里充满了惊恐的神色。

“巴里莫尔，你在这里干什么呢？”亨利厉声喝道。巴里莫尔惊慌失措地回答道：“没……没干什么啊。我……我就是看看窗户锁好了没有。”

亨利的脸色更阴沉了，他厉声喝道：“巴里莫尔，这种时候你竟然还敢对我撒谎！快点老实交代，你到底在窗前干什么坏事？”

## 惊天大秘密

管家几乎快要哭出来了，他声音颤抖地说："爵士，您别问了。这……这件事绝对不会对您有任何影响的！"

华生看着窗外，突然**灵机一动**，说："我知道了，你是在给什么人**发信号**！这蜡烛，就是信号灯！"他从管家手里拿过那支点燃的蜡烛，照着管家之前的动作，举到了窗前。在那没有月亮的夜晚，远近一片漆黑，只能模糊地看到附近小山的轮廓和远处那片阴沉沉的沼泽。突然，沼泽那边出现了一个黄色的发光点，它像针尖一样刺穿了黑色的夜幕，好像是在对窗前的烛火做出回应。华生激动地说："快看哪，他的同伙就在那里！"

管家着急得**语无伦次**地辩解道："没有，没有什么同伙！爵士，我向您保证……"

亨利根本不想听管家说话，他转向华生说："华生医生，您把蜡烛挪开试试。"华生把蜡烛移开窗口，外面的发光点竟然也跟着挪开了。亨利气愤地大叫起来：“还说不是同伙，巴里莫尔，枉我那么相信你！你竟然勾结外人来害我，说，你们到底有什么**阴谋诡计**？”

这时，管家的表情突然镇定了下来，说：“爵士，这件事我是打死也不会告诉您的。”

“好啊，那你就等着收拾包袱走人吧！”

管家脸色苍白地点了点头，说：“好的，爵士，我明天就离开庄园。”

亨利在屋里走来走去，简直要气炸了。就在这时，门口突然传来一个女人惊慌失措的叫声：“爵士，您千万不能辞退巴里莫尔呀！我们并没有害您啊！”

华生惊讶地转头一看，来的是管家太太。她的脸色比巴里莫尔更加苍白，脸颊上挂满了泪水。她哽咽着说：“对不起，爵士，这一切都是我的错，您千万不要责怪我丈夫！”

亨利疑惑不解地看着管家太太，问道：“这到底是怎么回事？快说清楚。”

“天哪，爵士，这实在太难为情了！其实……其实外面逃亡的那个罪犯赛尔丹，是我的亲弟弟！”

“什么?！”亨利和华生**异口同声**地叫了起来。他们俩实在没有想到，事情竟然会是这样！管家太太的眼泪啪嗒啪嗒地往下掉，她哽咽着说出了**事情的真相**。原来，她的弟弟赛尔丹一逃出监狱，就跑到庄园来找姐姐，恳求她收留自己。管家和太太一时心软，让他藏在沼泽附近，每隔一天给他送一次吃的。他们一直通过**蜡烛**互相发信号。管家要去送食物前，就会在这个房间的窗前点燃蜡烛，赛尔丹也用蜡烛回信号，告诉他们自己的方位。华生那天晚上听到有人开门出去，原来就是管家出去见赛尔丹了。

管家太太哭着说："爵士，他虽然是个杀人不眨眼的逃犯，但也是我的亲弟弟，我实在没法不管他呀！您要怪就怪我吧，我丈夫都是为了我才干这些事的。"

亨利叹了一口气，对管家说："既然如此，我也不怪你们了。好了，你们先回屋去吧，这件事咱们明早再谈。"

管家带着太太一起离开了。亨利和华生忍不住望向窗外，刚才那个发光点居然还在，逃犯赛尔丹一定还在等姐夫送饭呢。亨利盯着这个发光点看了一会儿，突然说："华生医生，你想不想和我一起去抓住这个**逃犯**？放任他这样凶残的家伙在附近游荡，实在是太危险了！他随时有可能伤害任何一个无辜的人。"

## 夜色中的神秘身影

华生用力点点头，说：“爵士，您说得对！必须将犯人**绳之以法**。我愿意跟您一起去！”

“好。那你带上**手枪**，穿好高筒皮鞋，趁着那家伙没走，我们赶紧出发。”

五分钟之后，他们俩装备齐全地走出了庄园。漆黑的天空中下起了蒙蒙细雨。幸好，那个发光点并没有因此而熄灭，依然在前方清晰地指引方向。

亨利边走边说：“华生医生，你说，如果是福尔摩斯在这里，他会不会也像咱们俩这样跑出来抓捕逃犯？”

华生正要回答，突然，黑沉沉的夜色里传来了一阵**可怕的嚎叫声**。亨利一把抓住华生的袖子，问：“这是什么声音？”

华生安抚地拍了拍亨利的手背说：“这声音是从沼泽传来的，我以前听过一次。当时杰克说，可能是一种鹭鸶鸟的叫声。”

“不对，我看这是……是猎犬的叫声。”亨利紧张地说，“华生医生，这是不是传说中的**幽灵猎犬**？”

华生不知该如何回答，只好说：“爵士，要不我们还是先回去吧。”

然而，亨利却坚决地摇了摇头，说：“不，我们一定要抓到那个逃犯，为民除害。我可不是听了几声怪叫就会被吓跑的胆小鬼！”

他们俩继续朝着亮光的方向走去。“看，蜡烛在那里！”亨利激动地伸手一指。只见一支**蜡烛**正插在一块大石头的缝隙里，两侧的岩壁恰好护住蜡烛不被风吹灭。华生连忙拉住亨利，弯下腰压低声音说：“嘘，逃犯一定就在这附近。”

他们俩飞快地闪到另一块大石头后面，**小心翼翼**地四下张望。突然，蜡烛旁的岩石后面露出了一张肮脏的脸，头发和胡子乱糟糟

的，小小的眼睛狡猾地东张西望，好像一只警惕的野兽。这一定就是逃犯赛尔丹了！

华生猛地从藏身处跳出来，朝赛尔丹扑了过去。亨利紧随其后。赛尔丹身子一闪，扬起手扔过来一块小石头，砰地砸到了岩石上，撞得粉碎。幸亏华生和亨利躲闪及时，要是被这石头砸中，那可不是闹着玩的。趁他们俩还没回过神来，赛尔丹迅速往山坡方向逃窜。他们俩**奋力追击**，但赛尔丹跑得比山羊还快，没多久就消失不见了。

“唉，竟然让他给跑了！”两人气喘吁吁地坐了下来。这时，月亮刚好从云朵里冒出头，照亮了前方另一个山岗。华生不经意地一抬头，竟然看到一个又高又瘦的黑影，**一动不动**地站在那里，好像一座漆黑的雕像。那影子低着头，两只胳膊交叉在胸前，似乎正在思考着什么。华生低声惊呼道：“爵士快看！那里有个人！”当亨利转过头来，那个人影已经消失不见了。

“什么人？是不是赛尔丹？”

华生使劲摇摇头，说：“绝对不是。赛尔丹是矮矮胖胖的，这个影子又高又瘦，而且，赛尔丹也不是往那边跑的。”

“那我知道了！肯定是出来抓逃犯的监狱长官。”

这么说似乎有道理，华生**若有所思**地点了点头。

他们俩趁着夜色回到了庄园。华生疲惫极了，但大脑还十分亢奋。他总觉得那个黑影没那么简单。他会不会是在伦敦跟踪亨利的那个神秘人？难道他一直悄无声息地跟在他们俩身边吗？华生暗暗下定了决心，一定要弄清这个神秘黑影的**真实身份**。

第二天一早，华生刚吃完早餐，亨利急匆匆地来找他。原来，管家有重要的事情要告诉他们。

管家心情复杂，像是下定了巨大的决心。“爵士，关于查尔兹爵士的死，我知道一件事……之前一直没说，我是怕牵连到不相干的无辜的人。”管家说。

## 寻找 L. L. 女士

亨利腾地从椅子上站了起来，问道："什么？你知道我大伯是怎么死的？"

管家连忙摇头，说："不，这我不知道。但……我知道爵士那天为什么去水松夹道。"

"啊！为什么？"亨利连忙追问。

"其实，查尔兹爵士那天是去**见一个女人**。"

"一个女人？"亨利震惊得嘴都合不拢了，"什么女人？你知道她叫什么名字吗？"

管家为难地摇摇头，说："全名我也不知道，我只知道她名字的缩写是 L.L.。事情是这样的：那天早上，查尔兹爵士收到了**一封信**，是从附近的特雷西村庄寄来的，看笔迹，写信的应该是个女人。后来，我太太去打扫书房时，在壁炉旁边意外发现了一封被烧过的信。"

"信上写的是什么？"

“那封信差不多被烧成灰了，只剩最底下一小块还能模糊地看到**一些字**，上面写着：‘晚上十点，在水松夹道的栅栏门边见。请您一定要把这封信烧掉。’底下的署名就是 L.L.。”

亨利猛地一拍桌子，说：“如果找到这位 L.L. 女士，说不定就能查清大伯的死因！巴里莫尔，你知道附近有哪个女人名字的缩写是 L.L. 吗？”

管家摇了摇头。

第二天，暴雨突至，树叶被浇得唰唰作响，雨水顺着屋檐哗啦啦地落下。华生不觉想起了夜里出现在沼泽附近的**神秘黑影**。这么大的雨，他还会在那里吗？

到了傍晚，华生实在按捺不住自己的好奇心，决定再去那里看看。他穿上雨衣和雨鞋，冒着雨在又湿又滑的山坡上艰难跋涉，好半天才终于找到那天夜里看到的山岗。

然而，那里空荡荡的，半个人影都没有。华生在附近搜寻了许久，最终还是**一无所获**，最后只好失望而归。

路上，他恰好遇到了要去庄园看望亨利的莫蒂默医生。想到管家说的那封信，他忍不住打听起来：“对了，莫蒂默医生，附近村庄有没有哪位女士名字的缩写是 L.L. 啊？”

“两个 L……让我想想……哦，对了，有个叫劳拉 · 莱昂斯的女士，她名字的缩写就是 L.L.！她住在特雷西村庄。”

“特雷西？”华生激动极了。管家说过，那封信就是从这个地方寄过来的！华生赶紧问道：“您快说说，这位劳拉女士**是个什么样的人**？”莫蒂默医生惋惜地摇了摇头，说：“唉！她就是那个老弗兰克兰的女儿。”

华生想起了那个脾气暴躁、整天和人打官司的弗兰克兰老先生。“原来劳拉是他的女儿啊！那她为什么不跟自己的父亲住在一起呢？”华生问。

莫蒂默医生叹了一口气，说：“唉！别提了。劳拉这姑娘**命苦**啊！她之前跟一个画家结了婚，后来被抛弃了。当初她结婚时，没征得父亲的同意，这下好了，弗兰克兰根本不想认她，也不让她住在自己家里。后来啊，还是村里的乡亲们看不下去了，想办法帮她。我也给过她一点钱。对了，查尔兹爵士还给她找了一份工作，就是到特雷西村庄去当打字员。”

“哦，难怪她住在那里啊！”华生同情地点了点头。莫蒂默医生反问道：“不过，您找她到底有什么事啊？”

“没……没什么，哈哈。”华生干笑了几声，把话题岔开，“哎呀，莫蒂默医生，我发现弗兰克兰先生的头骨好像很特别，您觉得呢？”“天哪，您也这么认为吗？”果然，一说到头骨的话题，莫蒂默医生就会滔滔不绝，讲得唾沫横飞，早已忘了刚才要问的问题。

华生在心里轻轻叹了一口气。现在案情越来越扑朔迷离了，他还不能确定，到底谁是可以完全信任的。

## 劳拉的秘密

莫蒂默医生留在庄园吃了晚饭。饭后，亨利和莫蒂默医生去玩牌，管家端着一杯咖啡走了过来。

华生接过咖啡，随口问道："谢谢你，巴里莫尔。对了，你那位亲戚现在还躲在外面吗？"

"我想是的。我三天前送过去的饭，今天已经不见了。除非……"

"除非什么？"

"除非……取走食物的不是他，而是另一个人。"

华生大惊失色，一口咖啡差点儿喷出来。"咳咳！另一个人！山里**还藏着一个人**？你确定吗？"

"我也是听赛尔丹说的。他见过那家伙一两次。本以为是警察，可警察不会一直躲在山里呀。那家伙肯定在酝酿什么阴谋。唉，但愿这些阴谋不是冲着亨利爵士来的。"

华生追问道："赛尔丹有没有说过，这个人住在什么地方，怎样获取食物？”

“哦，他就住在那些原始人住过的石头房子里。据说是有个小孩子，每天都去给他送饭。”

事情竟然是这样的！华生在一天之内得到了**两条重要的线索**：给查尔兹爵士写信的劳拉女士，以及住在原始人石头房子里的神秘人。他真盼望黑夜能快些过去。只要天一亮，他就立刻顺着这两条线索去发掘真相。

第二天一大早，华生**迫不及待**地找到亨利商量此事。最终他们俩决定，先由华生单独出面去见劳拉女士，这样也许更容易获得信任。

华生立刻出门去了特雷西村庄，没费多少功夫就找到了劳拉的住处。劳拉女士给人的第一印象是非常美丽。她的双眼和头发都是深棕色的，皮肤也是棕色的，但脸色红润，如同黄玫瑰花中映出了迷人的粉红色花蕾。

华生客气地打招呼：“你好，我是华生医生，从巴斯克维尔庄园来的。”

听到庄园的名称，劳拉似乎有些紧张。她问道：“华生医生，您找我有什么事吗？”

“其实，我今天来找您，是为了查尔兹爵士的事。”华生一边说，一边用锐利的目光紧紧盯着对方。劳拉的脸色突然变得煞白。“查尔兹爵士……他的事跟我有什么关系？”劳拉说。

华生清了清嗓子，说：“咳咳，劳拉女士，虽然这样问非常冒昧，但您是不是曾经给查尔兹爵士写过**一封信**？”

劳拉的脸色立刻涨得通红，她反驳道：“岂有此理！华生医生，您看上去是一位绅士，竟然问出这样莫名其妙的问题！”

华生不依不饶：“很抱歉，但我不得不这样问。您是不是给查尔兹爵士写了一封信，邀请他晚上在水松夹道的栅栏门边见面？时间恰好就是他去世的那天晚上。”

这回，劳拉的脸色变成了死灰色。她嘴唇颤抖，半天说

不出话来。华生有点儿担心，心想："她该不会当场晕过去吧？"还好，劳拉勉强控制住了自己的身体，她用双手死死地撑着桌面，咬着牙说："我明明让爵士把信烧掉，他竟然骗我！"

"您千万别冤枉了查尔兹爵士，他确实按您的要求做了，只是不小心留了一个角没烧完。"

劳拉的脸色稍微缓和了一点。华生**趁热打铁**地问："您现在能告诉我，为什么给查尔兹爵士写信了吗？"

劳拉深吸了一口气，终于开口说出了事情的经过。原来，她的丈夫是个无耻之徒，在抛弃她之后还经常回来骚扰她。劳拉一直**提心·吊胆**地过日子，不胜其烦。前段日子，她实在忍无可忍，就给查尔兹爵士写了封求助信，希望他能帮助自己离婚。要知道，那时候离婚并不是一件容易的事。

"可是，为什么一定要在晚上见面呢？"

劳拉叹了一口气，说："因为爵士第二天就要去伦敦，实在没有别的时间了。"

"那……查尔兹爵士去世那天晚上，究竟发生了什么？"

让华生感到意外的是，劳拉缓缓地摇了摇头，说："我不知道，因为那天晚上我根本就没见到查尔兹爵士。"

SHERLOCK HOLMES

## 神秘人的同伴

华生愣住了，问道："什么？不是你约查尔兹爵士在水松夹道见面的吗？"

"那天晚上，我临时有事，所以就**没去赴约**。"劳拉面不改色地说，"第二天我本想写信跟爵士解释一下，没想到报纸上已经登出了他去世的噩耗。"

华生心情复杂地看着劳拉。当晚她应该确实没去赴约，因为从这里去巴斯克维尔，必须坐马车。这一带的住户这么少，很容易把载过劳拉的马车夫找出来。所以，劳拉不敢撒这样的谎。可是，他又总觉得劳拉**隐瞒**了什么。到底隐瞒了什么呢？

华生努力尝试着又问了劳拉一些问题，可任凭他怎么旁敲侧击，也没能再从劳拉嘴里得到更多有用的信息。

唉，这条线索似乎也断了。华生懊恼地想，为什么他的面前，仿佛竖起了一道道坚实的墙，它们堵住了每一条通往真相的道路。

不过，他还有另一条线索，就是藏在山里的那个神秘人。

按照管家的说法，这个人住在那些被废弃的古老石头房子里。可是，附近的山坡上有成百上千座那样的石头房子，哪一座才是神秘人的安身之处呢？

正当华生一筹莫展的时候，突然听到有人跟他打招呼："嘿，华生医生！今天真是个好日子啊，居然在路边看到您这位好先生。"

华生转头一看，原来是邻居弗兰克兰老先生，也就是劳拉的父亲。华生看他笑容满面，于是问道："先生，您这是遇到什么喜事了吗？"

弗兰克兰高兴地把身子凑到华生面前，说："哈哈，我今天打赢了两场官司，当然是喜事了。"接着，他一把搂住华生的肩膀，压低声音神秘兮兮地说："其实啊，我今天还发现了一个重要的大秘密！"

"什么大秘密啊？"

弗兰克兰得意扬扬地说："您还记得吧，我之前一直用望远镜监视附近的山地，想找出那个逃犯。"

"难道真让您找到逃犯了？"

SHERLOCK HOLMES

“虽然我没有亲眼看到逃犯，但我看见给他送饭的人了。”

“糟了，难道管家给逃犯送饭的时候，不小心被弗兰克兰看到了？这下，管家可要有麻烦了！”华生心想。不料，弗兰克兰挤了挤眼睛，说：“嘿，您一定想不到，居然是个小孩在给他送饭！”

华生一下子愣住了，内心涌起一阵狂喜。原来，弗兰克兰看到的不是管家，而是给神秘人**送饭的小孩**！这真是踏破铁鞋无觅处，得来全不费功夫呀。

突然，弗兰克兰尖叫着，手舞足蹈地指着对面的一座山：“啊啊啊！快看啊，山上那个小黑点，不就是那个孩子吗?!”

华生连忙睁大眼睛，朝弗兰克兰所指的方向凝神望过去。只见一个小孩正慢慢爬上山坡，肩上还背着一个包袱。

华生激动得说话都结巴了起来：“弗……弗兰克兰

先生……我……我突然想起还有点事，先走一步了。”

他绕到弗兰克兰看不到的一条小路上，撒开腿朝那个黑点飞奔而去。

当他气喘吁吁地跑到那山坡的顶端，却怎么也找不到小孩的人影。这时，太阳已经快落山了，华生仍然不死心地四处张望。附近有个山沟，里面散落着许多古老的石头房子，就是传说中原始人住过的房子。突然，他眼前一亮。那些石头房子大多没有屋顶，只有其中一座带着屋顶，可以遮风挡雨。华生的心猛地跳了一下。一定是那座！他飞快地跑下山坡，小心翼翼地靠近那座房子。

## 不期而遇

走到门口，华生紧张地握住**手枪**，探头往里看了看。石头房子里空空荡荡的，一个人也没有。但他内心却激动不已，因为这里明显**住过人**：一块大石板上放着几条毛毯，这里应该是睡觉的地方。屋里还有一堆火烧过后留下的灰烬，旁边放着一些厨具，地上散落着一堆空罐头盒。看起来，这人已经在这里住了一段时间。华生走进屋里仔细地检查了一遍，发现有个布包放在一块大石头上，看形状应该就是刚才那个孩子背的包袱。华生打开一看，发现里面有一块面包，还有一些水果和肉罐头。突然，他瞥到布包底下有一张纸，拿起来一看，吓得差点把纸条丢到地上。只见上面潦草地写着几个字：“**华生医生去了特雷西村庄**。”

他在原地愣了整整一分钟。纸条上怎么会写着有关他的消息呢？难道神秘人一直在暗中监视的，是自己，而不是亨利爵士？想到自己的一举一动都在神秘人的监视之下，华生浑身的汗毛都竖了起来。就在这时，小屋外面突然传来了啪嗒啪嗒的脚步声。噢，一定是神秘人回来了！

华生一扭身躲到屋里的一处阴暗角落，用他的手指轻轻地抠住了手枪的扳机。屋子外面的人先在门口停了一会儿，之后才走了进来。与此同时，一个熟悉得不能再熟悉的声音响了起来："亲爱的华生，真没想到你居然能找到这里来。"

华生像一块石头般僵住了。福尔摩斯？这不是福尔摩斯的声音吗？他猛地转过头，心脏几乎快要停止跳动了。他激动地说："福尔摩斯?! 怎么会是你？你……你不是在伦敦查其他的案子吗？"

福尔摩斯站在门口，神态自若地说："到外面来说话吧，亲爱的华生，晒晒太阳暖和点。哦，当心你的手枪，可千万别走火了呀。"

华生一脸震惊地走了过去。几日不见，他的这位老朋友看起来更黑更瘦了，肯定是饱受了风吹日晒。看到华生的表情，福尔摩斯好像恶作剧得逞的小孩一样，脸上挂着顽皮的笑容，说："嘿，华生，你吃惊的样子真是太有趣了！"

华生百感交集，说话都不利索了："我……再也没有什么事比这更让人吃惊的了！福尔摩斯，你一定得把这一切跟

我好好解释清楚。所以说，那天晚上，我在月亮下看到的**神秘黑影**就是你？”

福尔摩斯微笑着点了点头，说：“你是说，你们出来抓赛尔丹的那天晚上吧？我不小心站在月亮下，被你看到了。说实话，华生，你能找到这里来也让我很惊讶。你能不能告诉我，我究竟是怎么暴露的呢？”

华生把弗兰克兰在**望远镜**里发现了小孩，自己又悄悄追踪而来的过程说了一遍。福尔摩斯摸了摸下巴，说：“哦，原来是卡特莱把我暴露的啊。”

“卡特莱？”

“就是我们在伦敦雇用过的孩子，你还记得吗？我让他去旅馆帮我找废纸篓里剪破的报纸。后来，我把他带到这里来了，让他给我送吃的，同时传递山下的情报。他相当于让我在这里多了一副手脚和一双眼睛。这可是**无价之宝**啊！”

“可是，福尔摩斯，你在门外就知道我在里面吗？是不是因为看见了我的脚印？”

福尔摩斯大笑起来：“哈哈哈，华生，我可没办法只看几个脚印就认出你，还不是因为你扔在门口的烟头，我虽然认不出你的鞋印，但你爱抽哪种烟，我记得清楚得很。”

华生这才想起，自己进屋前，随手把一个烟头扔在了门外。看来，福尔摩斯刚才突然停下脚步，肯定就是在**观察**地上的烟头。福尔摩斯细致的观察力和超群的记忆力，真是不得不让人佩服！不过，华生也没忘了顺便抱怨几句：“福尔摩斯，你为什么瞒着我偷偷过来，还藏在山上啊？你不信任我吗？”

## 锁定目标

福尔摩斯没有回答，而是走进石头房子，看了看纸条上的字，说："哦，华生，你已经去过特雷西村庄啦？我正打算拜访劳拉女士呢！咱俩真是查到一起去了。快告诉我，劳拉女士都跟你说了什么？"

华生把跟劳拉谈话的情况一五一十地说了一遍。福尔摩斯边听边点头。这时，华生突然想起一件事，心脏突突突地跳得厉害，他急切地说道："福尔摩斯，我给你写的那些报告……"这段时间，他用了多少个日日夜夜，给福尔摩斯写了多少份报告啊！在这里观察到的一切，他不敢有半点遗漏，事无巨细全都写进了报告。想起写报告时付出的心血和当时心里的些许骄傲，华生的声音不禁颤抖了起来："那些报告，你……你都没有看过吗？"

福尔摩斯重重地拍了拍华生的肩膀，说："你写的每份报告，都会从伦敦转到我的手里，每一份我都仔细地看过了。

华生，你干得很好！”

他目光炯炯地看着华生，继续说：“我之所以瞒着你偷偷来这里，实在是**迫不得已**。要是你知道我藏在这里，一定会担心我，说不定还会冒着风险来找我。要是被凶手发现了我的行踪，那我们可就前功尽弃了。话说回来，我现在能锁定真凶，还多亏了你写的报告呢。”

什么？福尔摩斯已经锁定了真凶？华生紧张得心脏都快跳出来了。他问道：“这个人究竟是谁？”

福尔摩斯的表情变得严肃起来，他回答道：“这个人就是……**生物学家杰克**。”

“杰克?！”华生惊讶地叫了起来，“福尔摩斯，你有什么证据吗？”

福尔摩斯自信地笑了：“还记得吗？你在报告里提到，杰克曾经在北方办过学校，后来因为发生传染病的事故而倒闭了。我稍做调查，就查到了那所学校。校长的样貌跟杰克完全相同，但名字却不同。很显然，他**改名换姓**来到了这里。还有一件事，你听了肯定要大吃一惊。”

“什么事？”

“我调查时还发现，那个校长有一位夫人，不是别人，正是贝丽尔！他现在却对外宣称那是他的妹妹。”

“啊？”华生的嘴巴张得大大的，难以置信地看着福尔摩斯，“可……可是，他为什么要让妻子假装成妹妹呢？而且，贝丽尔不是亨利爵士的心上人吗？这么说来，这一切都是杰克耍的**阴谋诡计**？”

福尔摩斯点了点头，说：“所以，当亨利爵士向贝丽尔求婚时，杰克才控制不住自己，像疯了一样**大发雷霆**。他怎么可能让自己的妻子真的嫁给别人呢？”

华生听得后背阵阵发凉：“这个杰克，真是太阴险了！”

福尔摩斯接着说：“除了贝丽尔，杰克还有另外一个给他充当工具的棋子，那就是劳拉女士。”

华生再次惊诧地张大了嘴，问道：“什么？劳拉？棋子？”

“对！杰克应该是欺骗了劳拉，说要娶她，实际上只是在利用她。查尔兹爵士出事那天收到的信，肯定就是杰克指使她写的。明天我们必须再和劳拉见上一面，我想，很多事马上就会水落石出了。”福尔摩斯说。

## 新的危险降临

华生**百思不得其解**，杰克的目的到底是什么呢？福尔摩斯好像看穿了他的想法一样，说：“所有的阴谋，都是为了巴斯克维尔的**财产**而来的。是杰克害死了查尔兹爵士，而现在，亨利爵士也正处在危险之中。华生，你得赶快回到亨利身边，寸步不离地保护好他……嘘！”突然，福尔摩斯好像听到了什么，低声叫道：“你听，那是什么声音？”

夜空中划过一阵阵尖叫声，还混杂着低沉而刺耳的嚎叫声。

“糟了！”福尔摩斯用力跺着脚，脸色发白地说，“亨利爵士有危险！”话还没说完，他就迈开双腿，朝声音传来的方向飞奔过去。华生连忙跟上，两人狂奔着跑过一片怪石嶙峋的山坡。

**咕咚**——**咕咚**——前方有什么东西从岩石上滚落下来。

两人冲上前去一看，发现有个人一动不动地趴在地上，已经停止了呼吸。很显然，他是刚刚从前面的山崖上坠落下

来的。

华生顿时感觉浑身的血液瞬间涌上了脑门，头晕目眩。他结结巴巴地说：“这……这身衣服……是亨利爵士的！就是亨利第一次见我们时穿的红色……红色苏格兰呢衣服！”

福尔摩斯无力地蹲下来，痛苦地按住额头，说：“我们晚了一步……我们晚了一步！我一辈子也不会原谅自己……”

华生暴怒地握紧了双拳，说：“怎么会这样！刚刚是不是有猎犬在叫？那猎犬一定是**杰克搞的鬼**！天哪，一定要让凶手付出代价！”

这时，月亮冲破乌云，向大地洒下一片银光。福尔摩斯俯下身，突然大叫一声："胡子！这人有胡子！他不是亨利爵士！"

华生震惊地低下头，果然，地上那个人脸上长满了乱糟糟的胡子，根本不是亨利爵士，而是藏在山中的逃犯赛尔丹！可是，赛尔丹为什么会穿着**亨利的衣服**呢？华生猛然想起一件事，赶紧说道："我知道了！亨利之前把自己的旧衣服都给了管家，一定是管家转送给赛尔丹了。"

福尔摩斯冷静下来说："嗯。杰克不会让猎犬随便咬人，肯定是先拿亨利的东西给它闻了味，然后才放它出来。结果，穿着亨利衣服的赛尔丹被猎犬错认了。"

华生感叹道："想不到，赛尔丹逃脱了法律的制裁，却在猎犬的追踪下丧了命。唉，这也算是他为自己的罪行付出的代价吧！"

福尔摩斯接着说："华生，你还记得亨利在伦敦的时候，丢了**一只旧皮鞋**吗？"

华生这才恍然大悟："啊！杰克在那时就计划好了！他要提早找一件亨利的衣物，好让猎犬识别他的气味。这么说来，那个在马车上跟踪亨利，又假冒你名字的神秘人，一定也是他吧？"

福尔摩斯点了点头。突然，前方不远处传来了脚步声，“嘘——”福尔摩斯示意华生不要再说话。来的人正是杰克！要不是福尔摩斯用眼神一再暗示要保持镇定，华生真恨不得立刻挥起拳头狠狠揍他一顿。

## 狡猾的敌人

杰克看到两人，立刻停下来打招呼："华生医生，您怎么在这里啊？哎呀，这是什么情况？有人受伤了吗？不会是亨利爵士吧？"他一边**假惺惺**地打着招呼，一边蹲下去看那个躺在地上的人。当认出这张脸居然不是亨利，杰克的手猛地颤抖了一下："这……这是谁呀？"

福尔摩斯镇定地回答："他叫赛尔丹，是最近警察在追捕的逃犯。"

杰克站起来，脸色苍白地说："天哪，居然是他！我在家

里听到喊声，还以为是亨利爵士出事了呢！”

华生忍不住语带讽刺地问道：“你怎么知道一定是亨利爵士出事了呢？”

杰克装出一副若无其事的样子说：“我约了亨利爵士来我家，可他迟迟没到，所以我才这么担心。”说着，他突然将目光转向福尔摩斯。“啊，您就是福尔摩斯先生吧！久仰大名！我就知道您早晚会来的。依您看，这个逃犯是怎么死的呢？”

福尔摩斯面无表情地说：“我想，应该是他自己发疯乱跑，从悬崖上摔下来的。”

杰克又试探着问：“那……您没听到什么别的声音吗？附近的居民总说，最近经常能听到像是**猎犬的嚎叫声**。”

福尔摩斯迷茫地摇了摇头，说：“这个我倒是没有听到。好啦，杰克先生，我们先回去了。明天一早我跟华生还得赶回伦敦去。这案子的线索都断了，再往下查，怕是也查不出什么结果了。”

杰克**将信将疑**地盯着福尔摩斯，过了好一会儿才说：“这真是太遗憾了，那就祝你们一路顺风。”

福尔摩斯和华生回到了庄园，亨利爵士**喜出望外**。他热情地说：“噢，福尔摩斯先生，您总算是来啦！本来杰克邀请我今晚去他家，但我想到您的嘱咐，没敢一个人过去。”

福尔摩斯淡淡一笑，说：“多亏您记住了我的**忠告**，不然的话，今晚在荒郊野岭摔破脑袋的人可能就是您了。”

亨利大吃一惊，华生连忙把发生在赛尔丹身上的事详细地讲了一遍。不过，关于杰克是幕后黑手的事，他可一个字都没说。因为福尔摩斯一再叮嘱过，现在还不是公布真相的时候。可怜的管家太太听到这个消息，差点哭晕了过去。

福尔摩斯对亨利爵士说：“我听华生说，你们和杰克约好，明天一起去他家吃晚餐，对吗？”

亨利眼里闪过一丝光芒，愉快地点了点头。他正盼望着去杰克家见贝丽尔呢，完全不知道他的心上人只是被恶魔利用的工具。福尔摩斯嘀咕道：“太可惜了，明天一早，华生要跟我一起回伦敦了。”

亨利震惊得从椅子上腾地站了起来，说：“什么？可是……伯父的案子还没有查清啊？”

“这个案子暂时查不下去了，麻烦您到杰克家吃晚餐的时候，帮我和华生跟他道个别。”

华生先是愣了一下，但很快便明白过来：福尔摩斯这是要**放下诱饵**，等鱼儿上钩呢。

## 画像里的秘密

亨利看起来失望极了，他重重地坐回到椅子上。福尔摩斯清了清嗓子，说：“爵士，我对您还有一个请求，您明晚要坐马车去杰克家，然后一个人走着回来。”

“什么？福尔摩斯先生，您不是一直都告诫我，千万不要一个人到外面去吗？”

福尔摩斯**郑重其事**地说：“这次不一样。我保证您不会有危险，请千万千万要按照我说的去做，否则——”

突然，福尔摩斯停住不说话了，抬头凝视着对面墙上挂着的一排画像。亨利扭头一看，解释道：

“啊，那些都是我们祖先的画像。其中有好几位都曾建功立业，有海军少校，有——”

福尔摩斯打断了他，问：“这位呢？”他走到了其中一幅画像下面，一动不动地盯着画像中的人。那是一个古代装扮的男人，戴着宽边帽，留着一头长长的鬈发。

“这位啊！唉，福尔摩斯先生，您的眼光真是犀利！他就是那个**臭名昭著**的修果，可怕的猎犬传说就是从他开始的！”

“原来是他！”福尔摩斯平静的脸上飞快地闪过一丝狂喜。他按捺住激动的心情，假装若无其事地转过身，说：“华生，我们回房去吧。”

等到夜里大厅没人以后，福尔摩斯又悄悄带着华生来到了这幅画像前。他举着一支蜡烛，眼睛一眨不眨地盯着画像，问：“华生，你有没有觉得这个修果看起来有点眼熟？”

华生仔细地辨别了一会儿，没看出有什么特别之处。

福尔摩斯笑了笑，走上前去，用胳膊遮住了修果的帽子和脸颊两侧的头发。“啊！”华生低声惊呼起来。这样看，画上的人竟然和杰克长得一模一样！

福尔摩斯放下胳膊，微笑着说：“哈哈，你也看出来了吧？华生，现在我终于知道，杰克为什么要**处心积虑**地害死查尔兹爵士和亨利爵士了。因为，他也是巴斯克维尔家族的**后人**。只是，他一直流落在外，即使是他们家族的人，也不知道他的存在。如果家族的其他人都去世了，那么最终所有的家产都将落到他的手里！”

华生这才恍然大悟。福尔摩斯愉快地笑着，信心满满地说：“等着瞧吧，到了明天，这个狡猾又狠毒的罪犯就会落到我们布下的网里。到时候，他就像自己捉的那些蝴蝶一样，只能在网兜里乱拍翅膀！”

第二天一早，福尔摩斯和华生跟亨利道了别，并煞有介事地坐车去了火车站，假装回伦敦。实际上，他们根本没坐上火车，而是悄悄地去了特雷西村庄，打算再次拜访劳拉女士。

华生一直很好奇，福尔摩斯打算用什么办法让劳拉说出更多秘密呢？上次他可是使出了**浑身解数**，但也没有多少收获。

见到劳拉后，福尔摩斯简单地打了个招呼，便盯着这位美丽的女士问道：“关于查尔兹爵士的死，您应该还隐瞒了些什么吧？”劳拉立刻提高声调，不满地说：“我隐瞒什么了？”

福尔摩斯轻描淡写地说：“劳拉女士，您要知道，查尔兹爵士的死是一桩谋杀案。这件事不但牵扯到您的朋友杰克，而且他的妻子恐怕也脱不了干系。”

劳拉猛地从椅子上弹了起来。“什么？杰克的妻子？你胡说，他根本没有结过婚！”她很快意识到自己失态了，重新坐了回去，两手紧紧抓着扶手，粉红色的指甲都被压得变白了。

福尔摩斯从口袋里掏出**一张照片**，放在她的面前。照片上有两个人，正是杰克和贝丽尔，照片的背面赫然写着“凡戴勒先生和夫人”。

福尔摩斯解释道：“这是四年前他们夫妻在北方办学校时的合影，那时他还不叫杰克这个名字呢。劳拉女士，您自己看看吧。”

## 布网抓鱼

劳拉拿起照片翻来覆去看了几眼。她双手颤抖着，把照片扔回桌上，绝望而愤怒的泪水涌出了眼眶。“原来……原来他一直都在利用我！说什么要跟我结婚，全都是鬼话，都是在骗我！我什么都告诉你们！没错，就是他**怂恿**我给查尔兹爵士写信，让查尔兹爵士帮助我离婚。他还说，他很快就会娶我……”劳拉伤心地说。

福尔摩斯抬眼看着她，问道：“但你那天晚上为什么没去见查尔兹爵士呢？也是杰克不让你去的吧？”

劳拉点了点头，说：“是他突然**反悔**了。他说，他才是我的心上人，却让其他人帮助我离婚，这很伤他的自尊。他要自己想办法来帮助我。所以……所以他让我别去见查尔兹爵士。”

华生忍不住问：“那你第二天看到查尔兹爵士突然去世的消息，难道就没怀疑过他吗？”

劳拉用手捂住了脸，说：“我一直都很相信他啊！他让我发誓，决不把那封信的存在告诉任何人，不然的话，我和他都会变成嫌疑犯。所以我……我就什么也不敢说了。但我发誓，我从来没想过要害查尔兹爵士，他是待我最好的朋友啊！”她肩膀一颤一颤的，止不住地呜咽着。

福尔摩斯从椅子上站了起来，说：“劳拉女士，在这桩案子里，你只是个被人欺骗的可怜人。放心吧，我们一定会抓住杰克，让他受到**法律的制裁**。”

走出劳拉家，福尔摩斯长吁了一口气，说：“现在所有谜团都弄清楚了。我已经通知了伦敦的雷斯垂德警探，他正赶往我们这里。”

福尔摩斯的眼里闪烁着星星一样的光芒。他摩拳擦掌地说：“今天可要大干一场啦！网已经布下了！我倒要看看，到底是我们抓住这条狡猾的大鱼，还是会让它从网眼中溜走。”

傍晚，福尔摩斯和华生在火车站接到了从伦敦赶来的雷斯垂德警探。三人小心翼翼地往杰克家的方向走去。走到离屋子大约三十米的地方，福尔摩斯小声说：“好了，我们就埋伏在这里吧。”

杰克家的窗户里透出了灯光，屋里隐约传出说话的声音和酒杯碰撞的声音。一定是亨利已经来赴约了。

华生紧张了起来，问道："福尔摩斯，你是想让亨利去当**诱饵**，引出那条猎犬吗？可是，让他独自走路回家，这也太危险了吧？"

福尔摩斯的两道眉毛拧成了一条线。他说："虽然我们识破了杰克的所有诡计，但还没有实实在在的证据啊！如果不想让凶手逍遥法外，那么这是我们**唯一的办法**！别太担心，我们三个人埋伏在这里，难道还摆不平一条狗吗？"

华生勉强点了点头，但心里还是为亨利担心不已。福尔摩斯拍拍他的肩膀，轻声说："你对这屋子的布局最熟悉。你去窗前看看里面是什么情况吧。千万别被杰克发现了。"

华生蹑手蹑脚地走到了杰克家的门前，躲在一堵矮墙后悄悄向窗户里张望。

杰克和亨利正坐在餐厅里聊天，桌上放着咖啡和葡萄酒。杰克兴致勃勃地说着什么，但亨利脸色苍白，心不在焉。也许是因为他一会儿要独自走回家而紧张不安，也许是因为他没见到贝丽尔而心神不宁。华生连忙跑回去汇报。福尔摩斯皱起了眉头，问：“嗯？贝丽尔不在？那她去哪里了？”

华生也纳闷地说：“是啊，除了厨房和餐厅，别的地方都没有灯光。她会去哪里了呢？”

不过，他们没有时间思考这个问题了。因为周围的环境突然发生了变化。**起雾了**！浓厚的大雾从大泥潭的方向朝这边一点点飘过来。福尔摩斯的眉头越皱越紧，他紧张地说道：“糟了，要是周围都被浓雾笼罩，等亨利出来的时候，我们很可能会看不到他，那样可就不好保护他了。”

## 怪物现身

白茫茫的浓雾像一堵移动的墙，慢慢朝福尔摩斯他们这边飘过来。月光照在上面，仿佛一层闪闪发亮的冰面。杰克家的房子大部分已经被浓雾遮住，只剩下屋顶在雾海之上**若隐若现**，仿佛漂浮在海上的一艘怪船。杰克和亨利还坐在里面聊天，一个暗藏杀机，另一个却毫不知情。福尔摩斯急得跺了几下脚，说：“哎呀，亨利怎么还不出来，他再不出来，这条路就要彻底被浓雾遮住了。”

就在这时，餐厅的灯光闪了一下，熄灭了。福尔摩斯跪在地上，耳朵贴着地面仔细听了听，接着激动地站起来，摆出准备战斗的架势，说：“来了，亨利终于出来了！”

果真像福尔摩斯说的，亨利爵士穿过厚厚的白雾走了出来。他看起来提心吊胆的，时不时停下脚步，惊慌地朝四周张望。等他从福尔摩斯他们藏身的地方走过，浓雾里传来了啪嗒啪嗒的脚步声。福尔摩斯给**手枪**上膛，同时压低声

音说："注意，猎犬过来了！"

三个人都握紧手枪，紧张地盯着眼前的浓雾。突然，浓雾里蹿出一个奇怪的东西，周身闪闪发光！他们定睛一看，确实是猎犬，浑身黑得像煤炭，脑袋和脖子上闪烁着奇怪的光芒，嘴巴和眼睛不停地往外**喷火**，活脱脱就是从地狱里爬出来的魔鬼！

就在三人呆住的那一刹那，猎犬飞奔着朝亨利爵士猛扑过去。砰——砰砰——说时迟那时快，枪声此起彼伏地响了起来，一颗颗子弹射向猎犬。"嗷呜——"猎犬嚎叫了一声，然后扑通一声，**四脚朝天**地躺倒在地上。

亨利被吓晕了过去，躺在地上一动不动。雷斯垂德警探冲上前去，扶起亨利，拿出随身携带的酒瓶给他灌了一口酒。亨利这才慢慢睁开眼睛，惊慌地看着他们，说："天哪，刚才那东西就是传说中的幽灵猎犬吗？"

华生在猎犬发光的地方摸了摸，摸到了一层粉末。"我知道了，是**磷粉**！杰克在猎犬身上涂了这东西，所以它看起来会发光，还会喷火！这家伙真是太狡猾了！"

福尔摩斯内疚地说："亨利爵士，真是抱歉，让您受惊了！没想到来的会是这么个怪物！"

亨利惊魂未定地回答道："不不不，是你们救了我的命啊。"

华生扭头看着杰克家的房子，说："杰克还在里面，我们快去抓他吧！"

福尔摩斯耸了耸肩，说："别抱太大希望了，他一定早就逃走了。"

他们还是把杰克家搜查了一遍。果然，杰克早已**不见了踪影**。他们在一楼看到了一个瑟瑟发抖的老男仆，接着又在二楼一间被锁死的房间里找到了贝丽尔。她被绑在柱子上，嘴里塞着一团布，身上伤痕累累。

## 恶魔的下场

福尔摩斯走到窗前，凝视着外面白茫茫的浓雾，说：“今晚雾这么大，我们恐怕没法去抓他。我想，杰克也未必能找到泥潭里的那条小路吧。”

大家扶着亨利回到了巴斯克维尔庄园。亨利虽然在心理

上勇敢地接受了贝丽尔欺骗他的事实，但在身体上并没能经受住打击。夜里他发起了高烧，**昏昏沉沉**地躺在床上。好在有莫蒂默医生细心地照顾着他。

第二天一早，浓雾散去了，贝丽尔带着福尔摩斯他们进入泥潭，搜寻杰克的踪迹。半路上，福尔摩斯从泥地里捡起了一只黑色的皮鞋。他说："看哪，这不是亨利爵士在伦敦丢的那只旧皮鞋吗？杰克就是让猎犬闻了它的味道，然后去追踪亨利的。"

他们来到泥潭中央的小岛，发现这里竟然有一座小房子，里面有一条狗链子，还有一些被啃过的骨头。

可是，不管他们怎么搜索，都没有找到**罪魁祸首**——杰克，连一个脚印也没看见。福尔摩斯仿佛洞察了一切，他说："如果大地没有撒谎的话，那么杰克应该是昨晚在浓雾中走错了路，被沼泽的淤泥吞没了。这个残忍的凶手，最后竟然这样**阴差阳错**地离开了人世。"

关于这个案子，大家其实还有诸多疑惑不解的地方。几个月后，大家再次聚到贝克街的公寓，福尔摩斯终于揭开了所有的谜团。

福尔摩斯说："事情结束之后，我又做了一些调查。现在，案情的详细经过已经全都明了了。首先，杰克的原名叫罗杰·巴斯克维尔，他其实是查尔兹爵士三弟的孩子。早年，这位三弟流落到南美洲，很早就去世了，谁都不知道他竟然有一个孩子。杰克在南美洲生活的时候，就做尽了坏事，之后他改名换姓来到英国，在北方办了一所小学。学校倒闭之后，他不知从哪里听说了自己的身世，于是又一次改名换姓，让自己的妻子假扮成妹妹，搬到了巴斯克维尔庄园附近。”

“可是，他为什么要让贝丽尔扮成自己的妹妹呢？”

福尔摩斯撇了撇嘴，说：“他把自己的妻子当成了**诱饵**。我猜，他本来想用贝丽尔去钓查尔兹爵士这条鱼。”

亨利愤怒地拍了一下桌子，说：“这家伙真是太可恶了！”

“后来，杰克又听说了巴斯克维尔家族的猎犬传说，于是想出了更阴险的诡计。他从伦敦买来一条最凶狠的猎犬，把它偷偷养在泥潭中央隐蔽的小岛上。他知道查尔兹爵士的心脏不好，再加上那个古老的猎犬传说，只要把查尔兹爵士引出来，就一定能用猎犬吓死他。”福尔摩斯继续解释道。

“可是，要怎么把查尔兹爵士引出来呢？他最先想到的，是利用贝丽尔。可不管他怎么**威逼利诱**，贝丽尔都不愿成为帮凶。就在杰克苦恼的时候，天赐良机，他认识了劳拉女士。后面的事你们也知道了。”

华生恍然大悟道：“于是，杰克让劳拉写了一封信，引出查尔兹爵士，然后放出那条装扮得像魔鬼一样的猎犬，果然把查尔兹爵士活活吓死了。”

福尔摩斯点点头，说：“没错。水松夹道两边各有一片草地，猎犬在旁边的草地上跑，所以没有留下痕迹。最后查尔兹爵士倒在地上之后，猎犬走过去闻了闻，这才留下了莫蒂默医生看到的**爪印**。

“杰克本以为，只要杀死查尔兹爵士，遗产就会落到他的手里。可没想到又冒出了一个亨利爵士！他从莫蒂默医生那里听说了亨利的行程，便匆匆忙忙地带着贝丽尔来到伦敦，想在这里提前解决掉亨利。

“我去调查过他们住宿的旅馆。他白天总把贝丽尔关在屋里，自己则戴上假胡子，出来**跟踪**亨利。贝丽尔是个善良的人，她担心亨利也会像查尔兹爵士一样惨遭不幸，所以才冒险给亨利发了**一封警告信**。她之所以要从报纸上把铅字剪下来，又粘贴得那么慌张，就是因为当时提心吊胆，生怕被杰克发现。”

亨利怔怔地看着前方喃喃道：“原来那封信是她写给我的。”

## 真相大白

“杰克在伦敦做了几件事：先是买通旅馆的人，偷走了亨利的鞋。但他们一开始偷的是亨利刚买的**新鞋**，上面没有亨利的气味，所以就把新鞋送了回去，同时又偷走了一只**旧鞋**。这就是丢鞋事件的真相。”

亨利这才明白过来，说：“原来我遇到的怪事，背后隐藏着这么大的阴谋！”

“是啊，我当时就隐约猜到，你丢鞋的事可能跟猎犬有关。不然谁会专门偷旧鞋，却把新鞋送回来呢？”福尔摩斯说，“杰克在伦敦没能找到下手的机会，只好回到庄园，在那里**等待时机**。其实，亨利爵士在伦敦收到那封信的时候，我就猜到幕后黑手可能是杰克了。你们还记得吗？我当时把那封信拿到鼻子底下闻了闻。”

福尔摩斯这么一说，华生就想起来了。不过，他有些疑惑不解地问道：“好像确实有这么回事。可是，这跟幕后黑手有什么关系呢？那时候你还不认识杰克呀！”

“我当时在信上闻到了迎春花**香水的味道**，这就说明，这封信可能是一位女士寄来的，这案子很可能牵扯到一位受过高等教育的女性。我在查看庄园资料的时候，注意到生物学家杰克有个妹妹跟他生活在一起，所以我一开始就把目标锁定在他们俩身上了。”

华生难以置信地看着福尔摩斯，说：“天哪，你通过香水味就锁定了真凶，太了不起了！”

福尔摩斯笑了笑，继续往下说：“接下来，我瞒过你们所有人，偷偷跑到巴斯克维尔庄园附近**监视**杰克。不过，我在去之前已经在贝克街安排好了。华生写给我的报告寄出后，很快就会转到我手里。多亏报告里的线索，我最终查到了杰克兄妹的真实身份。狐狸的尾巴完完全全地露出来了，只是那时我还缺乏证据。所以我**设了一个局**，引出那条猎犬，这样，杰克的阴谋就完全败露了。”

华生好奇地说：“我还有最后一个问题要问。”

“什么问题？”

“如果，我是说如果，杰克真的除掉了亨利爵士，他要怎么去继承这笔遗产呢？他明明是遗产继承人，却改名换姓地住在巴斯克维尔，这不是很奇怪吗？”

福尔摩斯往后一仰，靠在椅背上，轻松地回答道：“这还不容易吗？他只要有文件来证明自己的身份，在外地就可以**继承遗产**，到时候再找人把遗产变卖了。他本人甚至从头到尾都不用露面。总之，这家伙干起坏事来，心眼比谁都多，他肯定能想到不让人怀疑的办法。”

说着说着，福尔摩斯突然叹了一口气：“亨利爵士，其实贝丽尔一直都想警告你远离庄园。杰克请你吃晚饭那天，贝丽尔察觉到了他的阴谋，所以和杰克大吵一架。杰克怕她暴露自己的计划，就堵住她的嘴，把她绑起来关在二楼的房间里。”

亨利也叹了一口气，说：“唉，虽然贝丽尔骗了我，但她确实很关心我的安危，只可惜……”

莫蒂默医生拍了拍亨利的肩膀，说：“别想这么多了！”

接着，他转向福尔摩斯和华生，高兴地说："我和亨利打算来一场**长途旅行**，到世界各地散散心，很快就会把这个悲伤的案子忘掉了！"

福尔摩斯也笑了起来，说："好了，这个案子就到此打住吧。我在大戏院里预订了一个包厢，咱们先去听一场歌剧，再吃一顿丰盛的晚餐吧！"

# 小侦探挑战赛

## 推理能力测试

**亲爱的小朋友，看书累了吧？来做个小游戏吧，跟你的同学们比一比，看看谁的推理能力更厉害！**

**挑战1**

真相

### 公爵儿子失踪案（一）

公爵儿子萨尔特在寄宿学校上学。一天夜里，他突然失踪了，同时失踪的还有学校的德语老师以及他的自行车。公爵儿子是被德语老师绑架了吗？

福尔摩斯查看了两个人的房间，立刻排除了德语老师的嫌疑，他说：“德语老师很可能是因为担心萨尔特才跟出去的。”

**问题：福尔摩斯是如何得出这一结论的？**

福尔摩斯看到的线索如下：

①公爵儿子萨尔特的床有睡过的痕迹。

②德语老师的床也有睡过的痕迹。

③萨尔特应该是穿着平时穿的校服出门的。

④德语老师应该没来得及穿好衣服就出门了，因为他的衬衫和袜子还在地板上。

挑战2

真相

## 公爵儿子失踪案（二）

福尔摩斯和华生在离学校不远处的一片草地上，发现了德语老师的自行车轮胎印，附近没有脚印，只有一些牛蹄印。

福尔摩斯和华生一路追踪车胎印迹，发现自行车轮胎印中断的地方附近有几串脚印，周围还有一片金雀花丛被压折了，上面留有斑斑点点的血迹。但脚印没多远就消失了，之后又出现了自行车轮胎印。福尔摩斯表情凝重地说：“德语老师受伤了！他可真是个顽强的人啊！”

**问题：为什么说德语老师是个顽强的人？**

挑战3

真相

## 公爵儿子失踪案（三）

福尔摩斯和华生沿着自行车轮胎印继续追踪。他们看到了令人伤心的一幕——德语老师倒在路边的草丛中，已经去世了，他的头部有被重物敲击过的伤痕。但是他在草地上骑行的这一路，除了路中间有几串他自己的脚印之外，并没有其他人的脚印。那么，凶手是怎么袭击他的呢？

华生惊叫道：“不会是被牛角顶死的吧？附近不是有牛蹄

印吗？”

福尔摩斯摇了摇头，说：“不像。他头上的伤口，不像是牛角造成的。这是人为的。但凶手是怎么做到的呢？地上为什么没有凶手的脚印呢？”

福尔摩斯沉思片刻，突然眼前一亮，说：“我知道去哪里找凶手了！”

**问题：地上为什么找不到凶手的脚印？**

**如果你是小侦探，你能根据挑战 1 中的线索，排除德语老师的嫌疑吗？为什么？**

## 答案揭晓：

挑战 1：

萨尔特和德语老师的床都有睡过的痕迹，说明他们俩当时都已经睡下了。

萨尔特出门时穿戴整齐，说明他早有准备，并非是被绑架了。

德语老师没来得及穿好衣服就出门，说明他是遇到突发情况临时出门的。如果他想绑架萨尔特，一定不会这么仓促。

所以，德语老师很可能是发现萨尔特半夜外出，担心他的安全才跟了出去。

在挑战 2 中，福尔摩斯看出德语老师做了什么？为什么说他是个顽强的人？

**答案揭晓：**

德语老师一直骑着自行车，后来，突遭袭击，受伤流血了。他从自行车上摔下来，压倒了一旁的金雀花丛。但他顽强地站起来走了几步，又重新骑上自行车，因为他的使命还没有完成。

在挑战 3 中，你知道福尔摩斯是怎么推理的吗？

**答案揭晓：**

凶手应该是骑在牛背上袭击德语老师的（德语老师一直追踪的公爵儿子，可能也在牛背上），所以附近没有其他人的脚印。因此，福尔摩斯打算沿着牛蹄印去寻找凶手的下落。

# 大侦探福尔摩斯

图书在版编目（CIP）数据

大侦探福尔摩斯．巴斯克维尔的猎犬/（英）柯南·道尔（Arthur Conan Doyle）著；喵博士改编．—南京：译林出版社，2022.4（2022.6重印）
ISBN 978-7-5447-8994-3

Ⅰ.①大… Ⅱ.①柯… ②喵… Ⅲ.①侦探小说－英国－现代 Ⅳ.①I561.45

中国版本图书馆CIP数据核字（2021）第260738号

大侦探福尔摩斯：巴斯克维尔的猎犬
［英国］柯南·道尔 / 著　喵博士 / 改编

策　　划　彭　波　龚文宇
本册撰写　冯　帆　何　敏　李　享
责任编辑　朱旭玲
装帧设计　宸唐工作室
校　　对　蒋　燕
插　　图　妙象童画
责任印制　颜　亮

出版发行　译林出版社
地　　址　南京市湖南路1号A楼
邮　　箱　yilin@yilin.com
网　　址　www.yilin.com
市场热线　025-86633278
排　　版　宸唐工作室
印　　刷　南京新世纪联盟印务有限公司
开　　本　890毫米×1240毫米　1/32
印　　张　4.25
版　　次　2022年4月第1版
印　　次　2022年6月第3次印刷
书　　号　ISBN 978-7-5447-8994-3
定　　价　28.00元



SHERLOCK HOLMES